Faire la paix
avec soi

Catalogage avant publication de Bibliothèque et Archives nationales du Québec et Bibliothèque et Archives Canada

Gervais, Marc, 1964-

    Faire la paix avec soi : un nouveau départ!

    Comprend des références bibliographiques.

    ISBN 978-2-89225-867-7

    1. Réalisation de soi. 2. Émotions. I. Titre.

BF637.S4G472 2015   158.1   C2015-940163-1

Adresse municipale :
Les éditions Un monde différent
3905, rue Isabelle, bureau 101
Brossard (Québec) Canada J4Y 2R2
Tél. : 450 656-2660 ou 800 443-2582
Téléc. : 450 659-9328
Site Internet : www.unmondedifferent.com
Courriel : info@umd.ca

Adresse postale :
Les éditions Un monde différent
C.P. 51546
Greenfield Park (Québec)
J4V 3N8

© Tous droits réservés, Marc Gervais, 2015

© Les éditions Un monde différent ltée, 2015
Pour l'édition en langue française

Dépôts légaux : 1er trimestre 2015
Bibliothèque et Archives nationales du Québec
Bibliothèque et Archives Canada
Bibliothèque nationale de France

Conception graphique de la couverture :
OLIVIER LASSER

Photographie de la couverture :
MELANY BERNIER PHOTOGRAPHE

Photocomposition et mise en pages :
LUC JACQUES, COMPOMAGNY, ENR.
Typographie : Minion Pro corps 13 sur 15,5 pts

ISBN 978-2-89225-867-7

Nous reconnaissons l'aide financière du gouvernement du Canada par l'entremise du Fonds du livre du Canada (FLC) pour nos activités d'édition.

Gouvernement du Québec – Programme de crédit d'impôt pour l'édition de livres – Gestion SODEC.

Gouvernement du Québec – Programme d'aide à l'édition de la SODEC.

Imprimé au Canada

MARC GERVAIS

Auteur du best-seller *L'Amour de soi*

Faire la paix
avec soi

Un nouveau départ

PRÉFACE DE JOSÉE BOUDREAULT

UN MONDE DIFFÉRENT

Chez le même éditeur,
du même auteur

La Renaissance : Retrouver l'équilibre intérieur, éditions
Un monde différent, Brossard, Québec, 2001, 192 pages.

Nous : Un chemin à deux, éditions Un monde différent,
Brossard, Québec, 2002, 208 pages.

L'Amour de soi : Une richesse à redécouvrir, éditions
Un monde différent, Brossard, Québec, 2005, 192 pages.

Réussir sa vie : Les chemins vers l'équilibre, éditions
Un monde différent, Brossard, Québec, 2007, 224 pages.

Faire la paix avec soi : Un nouveau départ, éditions
Un monde différent, Brossard, Québec, 2015, 240 pages.

Marc avec sa fille Laurence, son trésor.
C'est en partie sur son bateau qu'il a écrit ce livre
Faire la paix avec soi : Un nouveau départ.

Je vous souhaite de vivre
une paix intérieure.

Ce livre est dédié à tous ceux
qui sont en quête de paix avec eux-mêmes.

Table des matières

Remerciements 15

À propos de l'auteur 17
Une invitation à faire la paix avec soi... et autres conférences

Préface de Josée Boudreault 21

Avant-propos 23

CHAPITRE 1 : DÉFINIR L'AMOUR 29

L'amour est à la fois rationnel et irrationnel • La sexualité de nos jours • L'honnêteté dans les plus petits détails • Le mensonge et les conflits qui en découlent • La transparence • L'humilité • L'amour de soi augmente la capacité d'aimer et d'être aimé • Le genre colérique • Libère-toi de ton passé en l'acceptant • L'amour de soi peut vous rendre méconnaissable • L'amour de soi dérange • L'amour de soi dans une relation de couple • Aider son prochain, les temps ont changé... • Faire la paix avec votre dépendance virtuelle • Les masques • Une pensée à propos des masques

CHAPITRE 2 : ÊTRE VRAI DÉRANGE 57

Dites les vraies choses • L'exercice du miroir • Les yeux sont le miroir de l'âme • La discrétion • Le karma • Ne sous-estimez pas l'aide des autres • Habitez votre corps • Sortez de votre zone de confort • Le bonheur dans les petits détails • L'apitoiement • Gardez le moral • Besoin d'aide ? • Soyez honnête et direct • Faire la paix avec la maladie • Gérez vos émotions • Se responsabiliser • Ne ravalez pas vos émotions • Permettez-vous de pleurer • Faites la paix avec la vérité qui vous habite • Faites la paix avec vos réactions • La mémoire émotive • Bien communiquer • Le pouvoir des mots/maux

CHAPITRE 3 : LES FEMMES, LES HOMMES ET LA COMMUNICATION 91

Soyez à l'écoute • Les complexes • Complexes psychiques • Faites la paix avec le paraître, le pouvoir et le matériel • Le pouvoir • La confiance en soi • La confiance dans les autres • Prendre le temps • L'épuisement professionnel • Le repos et le sommeil porte conseil • Les préjugés • L'estime • Des conseils pour augmenter votre estime personnelle • Les briseurs de couple • L'indifférence et le manque d'affection • L'abstinence sexuelle • Le silence • Le téléphone cellulaire • La télévision • Les heures supplémentaires • L'absence de projets en commun • Le réseau Internet • L'argent • Les terrains glissants

CHAPITRE 4 : LES QUALITÉS DES COUPLES HEUREUX 119

Ils communiquent tout simplement leurs pensées et leurs sentiments • Ils sont authentiques • Ils sont responsables de leur bonheur et se prennent en main • Ils vivent le moment présent • Ils sont passionnés • Ils savent dédramatiser les événements • Ils affrontent la réalité et les problèmes sans se défiler et ils admettent leurs erreurs • Ils sont positifs • Ils ont des objectifs et des rêves communs • L'humour et ses bienfaits • L'humour et la séduction • L'humour rapproche les gens • L'humour peut dédramatiser nos chagrins • L'humour dans vos allocutions • L'humour qui blesse •

CHAPITRE 5 : REPOUSSEZ VOS LIMITES 129

Cherchez à vous surpasser dans la confiance • Histoire de Geneviève • Histoire de Dave Simard (Osez demander) • Les dépendances • Dépendance à la nourriture • Lorsque le travail devient une dépendance • La cyberdépendance • Test pour savoir si vous êtes cyberdépendant • La dépendance au jeu • La dépendance à l'alcool • Test pour savoir si vous êtes dépendant au jeu • Test pour savoir si vous êtes alcoolique • La codépendance • La toxicomanie • Le pharmacodépendant • Faire la paix avec votre dépendance affective • Symptômes courants chez un dépendant affectif • La solitude • Que votre choix soit bien senti

CHAPITRE 6 : CESSEZ DE VOUS DÉFINIR D'APRÈS VOS RELATIONS 169

Découvrez votre valeur • Vous avez droit au respect alors apprenez à vous respecter vous-même • Soyez conscient de vos choix • Soyez fidèle à vous-même • Les dangers de vouloir constamment plaire aux autres • Composantes de base de l'estime de soi • Jusqu'où irez-vous pour plaire aux autres ? •

CHAPITRE 7 : VOUS NE POUVEZ PAS DEMANDER À L'AUTRE DE CHANGER 177

La jalousie • Comprendre les racines de la jalousie • La famille dysfonctionnelle • Test pour savoir si vous êtes dépendant affectif • La dépendance sexuelle • Le sexe est irrationnel et l'amour est rationnel • Les problèmes d'ordre sexuel • Le sexe et Internet • Les déclencheurs de souvenirs • Les conséquences de la dépendance sexuelle • Test sur le risque d'infidélité • Faire le point avec votre relation de couple • Pour réussir votre vie de couple • Faire la paix après une rupture amoureuse • Les cinq étapes d'un deuil amoureux • Faire la paix avec la séparation • Pourquoi les gens sabotent-ils leur relation amoureuse ? • Faire la paix avec le célibat, qu'il soit volontaire ou non • La séduction • La trahison • L'empathie • Une soirée qui m'a marqué • Exercice de pardon

EN GUISE DE CONCLUSION 235

Remerciements

Merci à Michel Ferron, éditeur des éditions Un monde différent, ainsi qu'à toute l'équipe pour leurs encouragements, leur amitié et leur soutien.

Merci à Lise Labbé, Jacques Côté, Micheline Parent, Karine Serra, Sébastien G. Côté et Julie Pelletier pour leur aide rédactionnelle.

Merci à tous ceux qui font partie de ma vie pour leur amitié, leur amour et leur appui.

Merci à tous ceux qui ont été de passage dans mon entourage, je suis une meilleure personne aujourd'hui grâce vous. Merci à Laurence; papa sera toujours là pour toi, je t'aime.

Merci aux participants à mes conférences, en espérant que mon message d'amour puisse se rendre jusqu'à votre cœur et, par ricochet, à celui de vos enfants.

À propos de l'auteur

Marc dans sa loge au Théâtre St-Denis de Montréal
lors d'une de ses conférences.

Marc Gervais

Auteur émérite de cinq best-sellers, producteur de spectacles à succès, homme d'affaires accompli et reconnu, **Marc Gervais** a présenté ses conférences devant près d'un demi-million de personnes. Il est l'un des conférenciers professionnels les plus recherchés au Québec. Policier de formation, il s'adresse à l'auditoire sans la rectitude politique que plusieurs s'imposent, avec un humour qui n'appartient qu'à lui. Il en résulte un message percutant, direct et inspirant qui ne laisse personne indifférent.

Avec plus de 3 500 conférences à son actif, il cherche toujours à approfondir ses connaissances du comportement humain.

Faites-vous le cadeau de vivre une conférence inoubliable avec lui.

Pour information sur ses conférences publiques, corporatives ou en entreprise, visitez :

www.MarcGervais.com

UNE INVITATION À FAIRE LA PAIX AVEC SOI...

LA CONFÉRENCE

Comme complément à la lecture de ce livre bienfaisant, faites-vous un autre cadeau inestimable et venez vivre la conférence du même titre avec l'auteur Marc Gervais :

Faire la paix avec soi, un nouveau départ !

Osez remettre en question le confort établi dans toutes les sphères de votre vie ! Faites le point et questionnez-vous sur vos besoins de sécurité, d'affection, d'amour, d'appréciation, et les autres besoins. Nourrissez votre amour-propre et favorisez votre évolution en vous autorisant un renouveau personnel et professionnel !

Avec la verve qu'on lui connaît, Marc Gervais vous entraîne sur le chemin d'un questionnement introspectif fondamental. Peu importe la nature des changements profonds dans votre vie, qu'ils aient été le résultat d'une épreuve difficile ou d'une simple prise de conscience, le réputé conférencier propose des pistes de réflexion qui vous permettront d'entreprendre un travail minutieux sur la personne la plus importante au monde : vous-même.

Cette conférence est un atout, peu importe où vous en êtes rendu dans votre cheminement personnel !

Pour toutes les dates et tous les lieux de ses conférences, consultez son site :

www.MarcGervais.com

Pour les conférences publiques ainsi que celles pour les entreprises adaptées à vos besoins spécifiques, visitez le site Internet :

www.MarcGervais.com

Pour joindre l'auteur directement par courriel :

Marc@MarcGervais.com

Préface

J'aime beaucoup penser qu'il n'y a pas de hasard, il n'y a que des rendez-vous. Le destin a mis Marc Gervais sur ma route alors que l'idée d'écrire le livre Sois ta meilleure amie! germait à peine dans mon esprit. Marc est proactif, aussi un homme généreux qui est rapidement devenu un allié de premier plan en me guidant tout au cours de ma merveilleuse aventure d'écriture.

Ses sages conseils, ses réflexions et son vécu sur le plan humain ont su me montrer la voie vers l'atteinte de mes objectifs. Cela m'a permis de me sentir pleinement accomplie et valorisée par cette nouvelle expérience.

Marc aime les êtres humains. C'est un orateur formidable et son franc-parler en conférence lui confère un charisme inégalable. En couchant ses réflexions sur papier, il nous procure un outil de premier plan pour nous épanouir et devenir meilleurs.

La lecture de ce livre, j'en suis certaine, ne se fera pas sans douleur. Marc a le don de nous « parler » sans détour et de nous dire les choses telles qu'elles sont. Pourquoi se mentir plutôt que d'aller vers notre propre vérité? Il a cette capacité de sonder en profondeur nos réflexions afin de nous guider vers nos propres solutions et une meilleure connaissance de soi. Je suis persuadée que ses écrits vous aideront à agir plutôt qu'à réagir lors de vos prochaines épreuves.

Je vous propose de vous laisser guider avec confiance et vous souhaite des moments merveilleux vers la connaissance de vous-même. Je suis persuadée que mon ami Marc deviendra pour vous aussi un allié formidable.

Josée Boudreault
auteure, animatrice et conférencière

Avant-propos

Faire la paix avec soi, pour mieux repartir

Faire la paix avec soi est un processus psychologique ardu et parfois même douloureux, car il suppose de vous regarder honnêtement et de confronter vos souffrances passées et présentes. Ce questionnement minutieux sur soi est d'autant plus bénéfique lorsqu'il est accueilli volontairement avec amour, dans le but de nourrir sa propre évolution personnelle, émotionnelle, professionnelle ou spirituelle. Faites le point dans votre vie avec humilité et accordez-vous un pardon des plus sincères afin de vous libérer de vos blessures du passé. Brisez les chaînes qui paralysent vos élans d'amour et donnez un sens à votre vie.

L'objectif de cette analyse est de mieux vous comprendre dans vos réactions émotives, vos peurs, vos regrets et vos dépendances. Cette démarche vous aidera grandement à mieux agir plutôt qu'à réagir lors de vos prochaines épreuves de vie, et à faire la paix avec vos tracas émotionnels.

Vos besoins primaires doivent aussi être examinés sous la loupe afin de déterminer ce qui vous manque intérieurement pour combler votre être. L'amour, l'affection, la sexualité, la sécurité, la famille et les loisirs sont certains besoins importants, entre autres, qu'on ne peut ignorer. Une personne non comblée dans ses besoins primaires cherchera à compenser son vide intérieur par des illusions de bonheur qui pourraient lui faire vivre des tourbillons émotionnels pendant très longtemps. Il est temps d'arrêter de courir et de simplifier sa vie pour le mieux-être de tous.

Laissez-vous guider avec confiance afin d'améliorer votre équilibre intérieur et soyez ouvert à la possibilité de nouvelles options qui s'offrent à vous, pour vous améliorer en tant qu'individu. *Faire la paix avec soi* implique parfois des transformations si draconiennes que certains en deviennent méconnaissables, mais pour le mieux. L'amour de soi qui en découle rend le cœur plus léger et plus zen, ce qui permet d'amorcer des adaptations pour soi avec facilité et surtout de les maintenir. Osez emprunter avec confiance un des chemins les moins fréquentés et il vous reviendra de dessiner votre prochain parcours.

Le changement est propice chez l'humain avant tout lorsqu'il vient de soi-même. Soyez réceptif à modifier certains comportements par vous-même selon ce qui vous parle dans ce livre. Personne ne peut inciter quelqu'un d'autre à changer. Cette démarche n'engage que votre volonté, pas celle des autres. Soyez assez mature, discipliné et déterminé à mener à terme cette analyse de soi par amour pour vous-même. Les gens qui vous entourent vous en seront sûrement reconnaissants un jour ou l'autre, car côtoyer une personne heureuse fait ressortir le meilleur de chacun.

Il n'est jamais trop tard pour se poser les bonnes questions sur soi-même, surtout si ce questionnement nous pousse au dépassement. Faites l'effort de bien vous connaître afin d'exercer les bons choix dans votre vie future, pour votre bien et celui de votre famille. Sachant qu'un choix comprend toujours des conséquences, il est bon de retenir de ne pas choisir des changements drastiques à la légère, car les conséquences pourraient vous hanter longtemps. L'avantage, c'est de se comprendre dans nos réactions, et de prévenir plutôt que de toujours devoir guérir après coup. Un choix réfléchi en vaut deux, nous dit-on.

Il n'est pas nécessaire qu'une épreuve de vie nous déséquilibre pour faire le point dans sa vie. Pourquoi attendre d'être confronté à nos faiblesses intérieures avant de se prendre en main. Soyez proactif d'abord et faites ce travail en commençant dès aujourd'hui ; n'attendez pas que la vie vous l'impose. Osez dès maintenant ce qu'il y a de mieux pour vous-même. Une grande paix intérieure et un alignement avec votre propre mission de vie, vos valeurs et vos priorités vont en ressortir.

Il est important de temps à autre de s'arrêter, de se questionner et de se regarder honnêtement dans le miroir afin de prendre un nouveau départ, car ce temps d'arrêt et d'intériorisation s'avère très sain et positif.

Malheureusement, on peut constater que plusieurs prises de conscience et changements majeurs dans la vie des gens arrivent souvent après une grande tristesse ou déception. Peu importe le chemin qui s'offre à vous vers l'amélioration, cheminez, avancez droit devant. Parfois on comprend une souffrance seulement après avoir subi les changements nécessaires qu'elle a engendrés. Ce que l'homme ne veut pas apprendre par la sagesse, dans certains cas, il l'apprendra par la souffrance. Personne n'est à l'abri.

Prenez l'exemple d'un enfant qui assiste aux funérailles de son père et qui, tout en regardant son cercueil dans l'église, se rend compte avec tristesse que son paternel n'a vécu que pour son travail sans profiter de sa vie. Cette réflexion, même associée à une grande peine, pourrait devenir une très grande inspiration qui lui insuffle le désir de profiter de chaque instant de sa vie. Effectivement, trop de gens travaillent pour vivre et vivent pour travailler et ne le comprennent qu'à leur retraite ou sur leur lit de mort. N'attendez pas d'arriver aux soins palliatifs avant d'être inspiré à vous prioriser.

Combien de gens décident de changer leur alimentation à cause d'un problème de santé qui les a anéantis ? Combien de gens s'aperçoivent qu'ils sont incapables de fonctionner après une rupture amoureuse et décident sur-le-champ d'affronter la solitude de plein fouet afin de retrouver une fois pour toutes leur paix intérieure ? Je sais par expérience qu'une rupture amoureuse ou amicale, aussi pénible soit-elle, a toujours la capacité d'apporter du bon du point de vue de l'apprentissage et de l'expérience de vie. Je crois que chaque personne que l'on croise dans notre vie a quelque chose à nous apprendre.

La simple décision de mettre un terme à un lien relationnel toxique et étouffant est normalement inspirante, car elle procure de la confiance et de l'estime de soi. Combien de personnes ont choisi un meilleur emploi, de nouveaux et meilleurs amis, de nouvelles activités de loisirs afin de profiter davantage de leur vie ; et de voyager, danser et rire à la suite d'un divorce pénible mais nécessaire ?

Se tromper de chemin nous permet parfois d'en découvrir de bien meilleurs. Alors gardez cette perspective en vue et avancez droit devant, d'un pas ferme !

Les ruptures amoureuses d'aujourd'hui sont de plus en plus fréquentes dans notre société, car les gens tolèrent moins l'union pratique comme autrefois. De nombreux individus recherchent l'amour, la passion et le sexe afin de se sentir vivants et de satisfaire leur besoin d'un amour authentique. Quitter la survie pour naître à la vie est stimulant en soi. On en devient parfois plus aimable, et on réajuste ses priorités

26

en fonction de soi. Il est trop facile de s'oublier dans une relation amoureuse au point d'en perdre son identité et sa joie de vivre ; alors attention… pensez à vous et faites la paix avec vos manques affectifs.

Pourquoi attendre ? Nous avons toujours le pouvoir de changer, de percevoir les choses autrement. Est-ce que je choisis de voir le verre à moitié vide ou à moitié plein ? Faire la paix avec soi signifie de regarder en arrière et de voir le verre à moitié plein… de voir le chemin parcouru, avec la sagesse de reconnaître que nous sommes toujours en évolution et que tout est sujet à nous faire grandir. Ensuite, il faut avoir le courage de croire en nos capacités de rebondir et de travailler sur soi. Il est toujours possible de transformer l'épreuve en tremplin, peu importe la souffrance.

Devenez un être resplendissant.

CHAPITRE 1

DÉFINIR L'AMOUR

Lors de mes conférences, il m'arrive parfois de demander aux gens dans l'auditoire de me donner leur définition de l'amour selon eux. Les réponses qui en découlent se ressemblent, mais le consensus du groupe est toujours difficile à obtenir. Définir l'amour, c'est comme expliquer le vent, puisque dans les deux cas, on le ressent physiquement, mais on ne le voit pas. On peut voir l'effet du vent dans les feuillages d'arbres qui se balancent mais le vent comme tel, on ne le voit pas. Il peut être doux et parfois très pénible, notamment lorsque la nature se déchaîne en violente tornade ; mais malgré tout, le vent comme l'amour reste une énergie à comprendre.

Les définitions de l'amour diffèrent d'une personne à l'autre, car certains expliquent ce qu'ils pensent ressentir plutôt que d'exprimer ce qu'ils ressentent vraiment. Bref, ressentir avec notre cœur, pas avec notre tête. Certaines personnes me consultent sous prétexte d'une peine d'amour quand, en réalité, ils ne s'aiment pas eux-mêmes. La peine qu'ils ressentent est plutôt liée à un vide intérieur et un attachement toxique que nourrit une dépendance affective à la suite d'un manque d'amour parental. L'amour n'est pas une science exacte, certes, mais il est possible par certaines déductions logiques d'en discerner le sens.

Avez-vous déjà examiné l'effet de l'amour dans les yeux d'une personne, dans son sourire et ses paroles aimantes ainsi qu'à ses actions généreuses ? L'amour a la capacité de rendre une personne méconnaissable et heureuse, c'est connu. Dans plusieurs des descriptions de l'amour que j'ai recueillies, voici les caractéristiques plus communes pour expliquer ce sentiment.

L'amour ne jalouse pas, ne juge pas, ne contrôle pas ni ne cherche à blesser l'autre. L'amour est compassion, douceur, tendresse, affection et respect. L'amour accepte l'autre avec son passé et ses défauts, tout en gardant la notion de vivre et de laisser vivre, avec pour effet de libérer l'autre de ses attentes et désirs. L'amour est un partage de sentiments de bonté et d'appréciation qui rendent les gens épanouis. C'est la volonté de se dépasser afin de nourrir sa propre évolution ou celle de l'autre. L'amour est simple, vrai et éternel. On ne donne jamais son amour dans le but d'en recevoir en retour, mais tout simplement pour répandre ce que l'on ressent.

Lorsqu'on est si attaché à une personne qu'on ne peut s'en passer, c'est une tout autre notion que de l'amour. L'attachement est en réalité un manque d'autonomie et une incapacité d'apprivoiser sa solitude. Trop souvent on constate que les gens ont tendance à s'oublier dans leur relation en laissant l'autre seul responsable de leur bonheur. Ils se définissent selon la présence de l'autre, et lorsqu'une rupture se concrétise, ils se sentent vides, dépressifs et sans bonheur.

Selon vos expériences passées et présentes, ce sentiment d'amour diffère normalement dans chacune des relations, car la complicité, la compatibilité et l'énergie physique entre deux personnes ne sont jamais vécues et ressenties sur le même plan.

On ne peut aimer une personne qu'on connaît à peine au tout début d'une relation. En revanche, on peut apprécier sa présence et nos émotions ou sensations lorsqu'elle nous touche physiquement ; mais l'amour doit engendrer plus que cela.

L'amour est à la fois rationnel et irrationnel

L'énergie de l'amour est à la fois rationnelle et irrationnelle, et il est bon d'en être conscient afin de comprendre vos réactions amoureuses.

L'attraction ainsi que le désir sexuel au début d'une relation sont irrationnels, chimiques et souvent liés aux hormones. N'oublions pas que les hormones ont pour but de nous inciter à nous reproduire afin d'assurer la continuité de notre espèce. Elles nous font ressentir des papillons dans le ventre et un sentiment assez intense à se faire toucher physiquement et à se sentir désiré sexuellement. Pour cette raison, plusieurs personnes vont confondre désir et amour jusqu'au jour où le désir diminue et où 'ils perçoivent qu'il ne reste plus rien de leur relation, sauf une habitude ou une dépendance affective envers leur conjoint, pour ne pas dire un colocataire.

Le désir sexuel devient souvent en ce sens une illusion d'amour. L'erreur commise par plusieurs, lorsqu'ils se sentent remplis de désir, s'avère leur tendance à croire, sans aucun doute possible, qu'ils ont connu l'amour. La compatibilité et le choix d'une âme sœur sont rationnels et surpassent le simple désir sexuel. Le concept d'âme sœur évoque une compatibilité amoureuse, amicale ou sexuelle « parfaite » entre deux individus.

Ce qui suit la passion est le début d'une belle histoire d'amour où deux personnes apprennent à se connaître sous tous les angles, y compris dans leurs failles, en acceptant leurs défauts. Poursuivre une relation après la diminution de la passion comporte un aspect rationnel. Il est primordial de comprendre qu'il faut cultiver une relation afin qu'elle reste saine et viable. Il est également important d'avoir des buts en commun et surtout du plaisir ensemble, après le stade de la passion, sinon l'intérêt l'un pour l'autre peut se dissoudre très rapidement. Il est facile d'être en bonne compagnie en cas de complicité réciproque, car ce facteur aide à alimenter de bonnes conversations intéressantes.

Un amour sain est un amour où l'autre nous apporte aussi son monde, une ouverture vers de nouveaux horizons, des émotions que nous ne percevions pas auparavant avec la même intensité. Nous sommes davantage réveillés. Aimer vraiment intensifie notre sensation d'exister dans le moment présent.

La sexualité de nos jours

Ici, en Amérique du Nord, pour plusieurs personnes de générations précédentes, la sexualité vécue hors du mariage était un péché honteux. Pourtant, cela ne date pas de si loin. Ce genre d'histoires était plus fréquent dans le temps de nos parents et de nos ancêtres. Selon eux, le mariage était le seul lieu sacré où l'on pouvait vivre une sexualité saine et sans culpabilité. Il devait y avoir un engagement des plus profonds entre les deux personnes avant même qu'on envisage de vivre un jour une liaison sexuelle. Le but de la sexualité à cette époque était de procréer afin de fonder une famille et c'était également l'objectif du mariage.

Les relations sexuelles étaient rarement pratiquées par pur plaisir, extase ou même partage, car une religion et une société remplies de jugements voyaient cela d'un mauvais œil. La chasteté avant le mariage était courante, surtout pour les femmes. Cela revêtait une si grande importance qu'on véhiculait cette valeur spirituelle à l'époque.

La sexualité est un besoin primordial pour l'équilibre de tout être humain. Les rapports sexuels favorisent autant la santé sexuelle et reproductive que la santé mentale. Nous n'avons qu'à lire sur le sujet, de nombreuses études le démontrent bien. La conception de la sexualité varie selon les cultures.

Mais revenons à l'époque où les gens se mariaient pour une vie entière sans même savoir s'ils étaient compatibles. J'estime que ce n'était pas vraiment logique ni même intelligent. Imaginez toutes les personnes qui ont dû souffrir à s'endurer dans leurs relations sexuelles peu aimantes, malsaines ou nulles. Tellement de femmes m'ont avoué lors de consultations privées se sentir violées par leur conjoint pendant des années, croyant ainsi accomplir leur devoir conjugal prescrit par l'Église.

Il est bon de comprendre qu'il existe divers degrés dans la relation et d'établir la différence bien sommaire qui existe entre la passion, la sexualité et l'amour, afin de ne pas les confondre. La passion est une émotion très intense, qui suscite chez les partenaires un enthousiasme et un désir si fougueux qu'on considère souvent cette sensation comme passagère.

En effet, la passion peut saisir deux êtres avec un tel emportement qu'elle ne fait pas appel au départ à un sentiment d'affection et de loyauté, mais plutôt à un débordement irraisonné des sens et au désir impérieux de les assouvir. Il ne faut toutefois pas que ce désir menace l'équilibre des partenaires et empiète sur d'autres besoins fondamentaux. Car quand le désir prend le pas sur les besoins et la raison, le choix peut devenir très difficile.

La sexualité est un comportement qui se couronne habituellement par une satisfaction personnelle et mutuelle de besoins affectifs et physiques. Elle possède d'ailleurs en soi sa propre récompense, c'est-à-dire le plaisir. C'est le plaisir qui fait en sorte que la sexualité puisse devenir une dépendance.

Les temps ont bien changé et de nos jours nous nous attendons souvent à une plus grande ouverture d'esprit quant à la sexualité. Mais attention, cette dernière est si facile d'accès qu'on peut dire que c'est plutôt l'amour de nos jours qui est devenu un fantasme. Trop de gens estiment facilement avoir fait l'amour lors d'une escapade sexuelle où, plutôt, ils se sont fait utiliser tel un objet à des fins purement sexuelles. Faire l'amour implique l'amour, n'oubliez pas.

L'honnêteté dans les plus petits détails

Lorsqu'on communique et échange avec les autres, l'honnêteté dans les plus petits détails est loin d'être de petits détails. L'honnêteté rassure, sécurise, facilite l'écoute, apaise la critique et prévient des complications et les embarras de la vie pour des riens. Un petit mensonge risque toujours de grossir et de nous rattraper avec le temps, et ce n'est tellement pas nécessaire ni intéressant pour personne. Nous avons assurément tous, un jour ou l'autre, déjà tiré une leçon de vie après un mensonge qu'on a répandu, qui nous a blessés plus que prévu.

Combien de gens n'ont pas été capables d'avouer leur manque d'intérêt ou d'amour envers leur conjoint et ont tout de même fini à l'église pour s'épouser ! Combien de gens aux prises avec des problèmes légaux ont omis d'avouer leurs torts devant un juge de la cour criminelle et ont alors écopé d'une sentence plus sévère à cause de leur manque de transparence! Combien de couples ont détruit leur confiance réciproque lorsqu'un des deux a découvert que l'autre lui avait menti sur des banalités, des années auparavant.

Parfois ce n'est pas le mensonge comme tel qui blesse, mais plutôt la constatation que ton partenaire a eu la capacité de te regarder dans les yeux et de te mentir sans broncher, sans remords ni culpabilité. Certains mentent comme ils respirent et, par la force des choses, ils finissent par croire eux-mêmes à leurs petites histoires remplies de non-sens. Certaines personnes sont mythomanes, donc ne distinguent pas la fiction de la réalité et multiplient les fabulations verbales en tout genre. Il est écrit qu'on peut attribuer ce trouble de comportement à des traumatismes affectifs subis dans le passé, d'où les répercussions d'amener le mythomane à fuir inconsciemment la réalité au moyen d'histoires rocambolesques.

On dit que chaque mensonge cache une peur. Par contre, je crois que les gens jaloux et « contrôlants » suscitent et augmentent leurs chances de se faire mentir par leur conjoint, puisqu'ils sont souvent incapables d'entendre une vérité sans réagir fortement sur le plan des émotions. Malgré tout, je crois que mentir n'aide pas à notre psychisme, car on ne peut se mentir à soi-même sans en ressentir un effet néfaste, si minime soit-il.

Être capable de dire que notre humeur ne va pas trop bien peut aider à nous remonter le moral, puisque notre vrai moi se sait honnête. L'amour de soi permet de ressentir une auréole d'émotions en se sachant honnête.

Être honnête dérange de nos jours, car plusieurs n'aiment pas nécessairement entendre la vérité, surtout si celle-ci les concerne. On dit que toute vérité n'est pas toujours bonne à dire et je vous l'accorde, mais si elle vous amène à cheminer ou aide les autres à évoluer, alors je vous suggère de l'exprimer. On est aussi malade que les non-dits qu'éprouve notre cœur, ne l'oubliez jamais.

Un jour quelqu'un m'a demandé pourquoi il n'avait pas d'amis et j'ai répondu presque instantanément que c'est parce qu'il n'était pas aimable. Ma réplique n'a naturellement pas été bien reçue, mais quelques mois plus tard, cet individu m'a remercié de ma franchise envers lui. Il ne faut pas fuir les critiques constructives, et il importe d'accepter de prendre ce qui nous appartient afin de grandir.

Faites un examen minutieux de votre être et demandez-vous si vous aimeriez avoir un amoureux, un parent ou un ami aussi honnête que vous. Si vous hésitez à répondre par l'affirmative, il serait temps d'effectuer les changements nécessaires dans l'immédiat, par amour pour vous et bien sûr pour les autres. L'engagement sincère désormais quant au fait d'être honnête est le meilleur début de cheminement.

Le mensonge et les conflits qui en découlent

Il est décevant mais honnête de vous révéler que le mensonge est très répandu de nos jours et qu'il est souvent la source de plusieurs déceptions, conflits et blessures. Se faire mentir suscite un manque de confiance presque automatique et est parfois irréparable. Même après le pardon, la blessure perdure occasionnellement durant plusieurs années. Notre perception automatique est que quiconque nous ment ne nous considère pas, nous manque de respect et ne mérite certainement pas notre confiance ni notre amour. Trop souvent un mensonge est fatal pour un couple, car le doute s'installe et des répercussions malsaines s'ensuivent telles que la peur, la tristesse et la jalousie.

Je suis de ceux qui croient que de raconter une demi-vérité, en omettant de dire volontairement certains faits importants dans une conversation, n'est pas sain et cause plusieurs séparations. On peut dire dans ce cas que le silence parle par lui-même.

Je dois aussi vous souligner qu'on ment pour plusieurs raisons explicables mais non nécessairement justifiables. Soyez conscient que le fait de comprendre pourquoi certains mentent si aisément peut nous aider à leur pardonner et à avoir plus d'empathie envers eux. Premièrement, l'honnêteté n'est pas toujours facile pour certains, surtout s'ils ont appris dans leur jeunesse qu'être honnête n'était pas nécessairement à leur avantage. Se faire réprimander ou avoir été jugé sévèrement par des parents ou un conjoint pour avoir dit la vérité nous enseigne à être malhonnête ou à garder le silence par peur d'une nouvelle punition.

Certains mentent aussi afin de contourner une vérité pour plaire ou ne pas déplaire aux autres. Derrière ce genre de mensonge, se cache soit la peur de décevoir ou le désir d'être aimé à tout prix. Le mensonge est aussi utilisé au service de la vantardise afin d'embellir ou de romancer une histoire de vie. Il sert à se donner de l'importance en falsifiant certains faits en sa faveur.

On perçoit aussi le mensonge dans certains silences volontaires révélateurs. Combien de gens vont omettre de répondre à une question pourtant simple sous prétexte d'ignorer certains faits ! Dans certains cas, on perçoit leur silence comme une admission de la vérité et l'annonce qu'il y a anguille sous roche. Très souvent les menteurs qui se font attraper dans leur jeu vont fuir la conversation en se disant en colère et insultés qu'on ne les croie pas. C'est leur façon déguisée de ne pas répondre.

L'orgueil peut être aussi la cause de mensonges. Par exemple, lorsque les gens refusent d'exposer leur désarroi financier ou intérieur, car ils n'aiment pas se faire voir sous leur vrai jour, par honte ou peur d'être jugé. Combien de gens, blessés et tourmentés émotionnellement, exposent tous les jours le contraire à leurs proches ! Combien de gens se suicident à la surprise de tous !

Les gens malhonnêtes ne peuvent se rappeler certains petits détails de leur histoire 24 heures après l'avoir racontée initialement. Il est ensuite facile de les exposer à leur mensonge en leur demandant de répéter certains faits qu'ils ne peuvent se remémorer le lendemain.

Vous n'avez qu'à regarder le non-verbal d'un individu pris dans son mensonge pour le voir patiner. Il croise les bras, regarde à terre, avale sa salive plusieurs fois, a des trémolos dans la voix, se mouille les lèvres devenues trop sèches par le stress ou prétend qu'il ne comprend pas la question. Au fond, il cherche à gagner du temps pour réfléchir à sa réponse afin de se sortir du pétrin.

Une personne honnête défend sa parole au besoin par une explication logique et saine, et elle n'a pas peur de valider un point afin de sécuriser son interlocuteur. Une des règles de base, lorsque vous tenez à préserver un lien intègre avec une personne, est la franchise. La confiance est parfois si durement gagnée et si vite perdue.

Une demi-vérité est quand même un mensonge puisqu'elle cache souvent de petits détails très significatifs et c'est parfois le plus petit mensonge qui peut causer le plus grand des mécontentements.

Plusieurs belles histoires d'amour se terminent à cause de petits « mensonges blancs », car la priorité de certains est la confiance dans l'amour et non l'amour sans confiance. Le but de la vie est le bonheur, pas de vivre des turbulences dans le doute. Offrez-vous la confiance et la transparence envers chacun. Cela maintient et nourrit l'amour.

La transparence

La transparence est cohérente chez un individu authentique qui n'a pas peur de s'exprimer en tout temps en demeurant soi-même, authentique, juste et vrai avec tous. La transparence d'une personne lui servira lorsqu'il sera temps de régler un conflit personnel, car la constance habituelle dans ses paroles, ses opinions et ses actions ne laissera planer aucun doute sur sa crédibilité.

La transparence est très importante dans nos relations amicales, amoureuses et professionnelles. Elle rehausse l'admiration des gens à notre endroit. Très souvent les personnes les plus respectées se soucient de toujours dire les vraies choses sans dramatiser ni romancer. Elles parlent de faits selon leur perception réelle et leur parler est très clair, simple et pratique à comprendre. Il est plus facile de respecter et de croire une personne transparente.

Imaginez une relation amoureuse avec une personne qui vous ment à tour de bras et qui vous radote des excuses afin de justifier des non-sens dans ses écarts de vérité. Le respect et la vision qu'on porte ensuite sur cette personne sont ternis et on se méfiera de la véracité de ses dires dans les prochaines conversations. Normalement, il est peu plaisant et très inquiétant d'aimer une personne non transparente, voire de vivre et de converser avec elle. Vivre une relation amoureuse sans transparence soulève certaines peurs qui peuvent alimenter la jalousie et le doute au point d'en devenir insoutenables.

L'humilité

Dire les vraies choses et admettre vos torts est une preuve de maturité, de santé mentale et d'amour de soi. L'humilité vous permet d'avancer plus facilement après une erreur, car se l'avouer sans retenue nous garde dans la vérité et, par le fait même, ceci apaise les critiques. Comme la plupart des gens, vous avez souvent tendance à accepter vos réussites mais à mal digérer vos échecs. Au lieu de vous culpabiliser lorsque vous échouez, accueillez cette situation comme une expérience de vie. Il est important de reconnaître et d'admettre ses erreurs pour ensuite les accepter et cheminer plus aisément. Ne régressez pas dans l'orgueil à vous entêter à croire que vous avez toujours raison. Être borné sur ses propres convictions se révèle la pire des faiblesses. Il ne faut toutefois pas croire que d'admettre un tort fait de vous une personne minable, bien au contraire.

Le refus d'admettre ses erreurs est un comportement destructif qui nuira à votre croissance personnelle. Lors de mes conférences, j'admets souvent mes erreurs de parcours et ceci m'aide à les accepter et à tourner la page. L'humilité est un cadeau à s'offrir. Soyez dans votre réalité et n'ayez pas peur de l'exprimer, afin de bonifier votre relation avec vous-même. Une bonne dose d'humilité augmente l'amour de soi.

L'amour de soi augmente la capacité d'aimer et d'être aimé

L'amour de soi est l'un des plus beaux cadeaux à s'offrir. Lorsque que vous devez choisir un partenaire de vie, il vaut mieux que votre choix s'arrête sur quelqu'un qui se connaît lui-même et qui s'aime déjà. Cela vous démontre que cette personne peut vivre en théorie et en pratique une vie amoureuse, et qu'elle peut s'épanouir au quotidien dans un environnement d'amour.

Tant de gens ont si peu d'estime et d'amour pour eux-mêmes qu'ils rendent leurs relations amoureuses compliquées, voire impossibles. On ne peut demander aux autres ce qu'on ne peut s'offrir en premier : l'amour. Il faut être digne d'amour avant d'en ressentir et d'en partager ; alors il est grandement suggéré de rencontrer des gens qui ont la capacité de vous aimer. Essayez de trouver des gens qui ont leur passé réglé et qui sont capables de souhaiter de l'amour à leur ex-conjoint plutôt que de les maudire encore. Si vous désirez une relation où règne l'amour, alors cherchez en toute logique là où l'amour habite. Dans une relation d'amour, il doit y avoir l'amour ; n'exigez rien de moins.

Bien sûr, dans une relation, connaître son partenaire n'est parfois pas aisé. Comme vous le savez déjà, certains préfèrent porter un masque pour dissimuler leur vraie identité. Ils ont terriblement peur d'être vus tels qu'ils sont. Cependant ils devront enlever ce masque et dévoiler leur vraie nature tôt ou tard, alors pourquoi ne pas être eux-mêmes tout de suite et se montrer pleinement authentiques ?

C'est pourquoi il vous faut être conscient de tout cela et y découvrir sans doute une raison de plus pour prendre votre temps. Choisir votre partenaire de vie n'est pas une décision que vous pouvez prendre de façon impulsive, car cela engendre plusieurs conséquences, et il n'est pas recommandé d'envisager une expérience d'une telle ampleur sans réflexion sérieuse.

Il est clair que l'amour de soi repose en partie sur l'estime de soi, car votre niveau d'estime personnelle détermine le type de relation que vous entretenez avec les autres et avec vous-même. Ceci explique pourquoi il serait suggéré de rencontrer des gens qui ont une belle image d'eux-mêmes. Je ne parle pas d'une image narcissique ou démesurée, mais bien d'une belle image en tant que personne sachant reconnaître sa valeur.

N'acceptez pas de vivre une relation qui va à l'encontre de vos principes profonds en vous disant que vous allez amener votre partenaire à changer et à s'aimer plus tard. En agissant de la sorte, vous risquez d'amorcer une relation avec une personne incapable de vous aimer.

L'amour est décrit sous plusieurs facettes comme un sentiment propice à l'échange de gestes affectueux et tendres avec une autre personne. Il invite à l'intimité, au partage, au ressenti et au bien-être de l'autre. Mettez les chances de votre côté et prenez le temps de bien choisir la personne qui correspondra à vos besoins.

Demeurez proactif et sélectif, mais ne soyez pas impulsif dans votre choix de partenaire. De cette façon, vous aurez le loisir du moins de procéder par « élimination ». Une personne au tempérament colérique ou jalouse peut vous sembler affectueuse au début d'une relation mais, hélas, ne vous laissez pas tromper en croyant que vous pouvez la changer. Ce genre de comportement pourrait vite devenir un fardeau pour vous ; alors soyez-en informé : restez aux aguets !

Le genre colérique

L'individu colérique n'est pas facile à côtoyer dans une relation, car il est une personne frustrée et blessée (émotionnellement) depuis un certain temps. Malgré son attitude et ses paroles agressives, répressives et accusatrices, il demeure souvent un être très sensible et nostalgique. Ses émotions enfouies en lui le ramènent parfois à revivre une époque bien précise de sa vie, lui rappelant ses pires blessures. Ces circonstances font de lui un être d'humeur imprévisible au fil des jours.

Il prend mal les critiques, même constructives, car il considère souvent les conseils comme un jugement ou une insulte à sa propre personne. Il n'aime pas admettre ses torts trop aisément, car il perçoit l'humilité comme une faiblesse. Il prétend croire qu'il a toujours raison et, avec le temps, il y croit fermement.

Lorsqu'il s'obstine, il aime être condescendant, surtout s'il constate qu'il affronte ou confronte une personne saine, allumée et plus intelligente que lui. Il n'aime pas pleurer devant les autres et il préfère garder ses problèmes pour lui-même. Si un jour il décide de consulter un professionnel de la santé pour de l'aide psychologique, normalement ce sera une décision consécutive à un échec dans sa vie, telle une séparation douloureuse. Une demande d'aide sera son dernier recours.

Sa discipline envers les enfants sera parfois de l'indiscipline. Il ira jusqu'à insulter, frapper, manipuler et imposer ses peurs afin d'arriver à ses fins. Il sera rarement le favori des enfants dans des rencontres familiales, vu son instabilité et son caractère parfois déplaisant.

Il perdra souvent des amis à cause de ses paroles gratuites et blessantes, sinon d'un humour sarcastique. Il aimerait rire des autres sans retenue, mais n'aimerait surtout pas qu'on parle de lui-même pour le ridiculiser, encore moins dans son dos. Sa difficulté à gérer son stress en fera vivre d'autres à son entourage. Sa simple présence pourrait sembler pesante et désagréable.

Sa dépendance de prédilection sera l'alcool. Il lui permet de s'évader plutôt que de travailler sur sa personne. Le personnage coléreux aimera prétendre, dans des discussions de groupe, qu'il est un bon amant, alors qu'en réalité, il est plutôt nul au lit, insensible, égoïste et non sensuel. Rares seront les conjoints sur son chemin qui pourront avouer se sentir réellement aimés et appréciés par la personne colérique. Son attention amoureuse, tendre un moment, pourra soudainement se muer en indifférence pour des riens.

Le pardon sera rarement une option envisageable dans sa vie, car il est incapable d'empathie ou de compassion. La vengeance et les menaces feront partie de son vocabulaire assez fréquemment ; il verra de l'injustice sans fondement. La rage au volant fera partie de son quotidien et il banalisera ses gestes, prétextant encore qu'il a raison d'agir ainsi. L'intimidation sera son arme de guerre secrète et il s'en servira au besoin pour régler ses comptes avec les autres.

L'humour fera rarement partie de sa vie, sauf s'il est enivré ou s'il a envie de rire des autres de façon gratuite. Il aura le jugement facile, voyant chez les autres tout ce qu'il refuse de voir en lui. Il aura aussi tendance à être homophobe, par peur et ignorance. Dans certains cas, le type colérique qui ridiculise trop facilement les gens gais pourrait se trouver aux prises avec une homosexualité latente, qui se développera peut-être un jour. Son inconscient lui fait ressentir ce qu'il refuse d'admettre et pour éloigner cette possibilité, il parlera en mal de l'homosexualité.

L'individu colérique a un grand besoin d'amour, mais l'amour le rend maladroit et lui fait peur.

En amour, il recherche souvent une figure maternelle ou paternelle satisfaisante qui le soutiendra et sera patiente à ses côtés, tout comme un parent.

Rarement romantique ou tendre, il réussit quand même à entamer des relations amoureuses avec des gens en manque d'estime qui ont besoin d'une prise en charge. Il vit de multiples ruptures dans le manque de respect, le contrôle et l'agressivité, se disant persécuté malgré l'évidence du contraire. Il parle assurément en mal de ses ex-conjointes, en vertu de son complexe d'infériorité et de sa jalousie.

Il affiche de la tristesse et un désir de changer afin de manipuler un renouement amoureux, mais cette démonstration de tendresse sera plus souvent une comédie. Il n'offre en amour que des relations instables et blessantes qui voguent entre le plaisir et la souffrance, pour ne pas dire le contrôle et le sexe.

La colère non gérée d'une personne colérique blesse son entourage. Alors soyez vigilant, surtout si vous êtes célibataire avec de jeunes enfants. Protégez vos enfants des blessures émotives non nécessaires. C'est votre responsabilité, même si vous êtes amoureux. Un individu colérique peut détruire l'estime d'un enfant ou d'une adolescente assez facilement par quelques paroles dévalorisantes et puissantes. Il ira jusqu'à attaquer l'apparence de l'enfant ou de son parent biologique pour arriver à ses fins, allant jusqu'à blesser au plus profond de l'âme.

N'oubliez pas que moins on a d'estime de soi, plus on augmente ses chances de rencontrer un type colérique. À qui la chance ?

Libère-toi de ton passé en l'acceptant

S'aimer est exigeant, mais cela suppose une capacité d'accepter son passé. Puisqu'il est désormais impossible d'y changer quoi que ce soit, apprenez à vivre parmi vos souvenirs, aussi pénibles soient-ils. Que votre passé regorge de souffrances ou de simples erreurs dont vous êtes responsable, peu importe leur degré d'intensité, il peut être tout aussi destructif si vous le laissez vous envahir continuellement et nuire à votre présent.

C'est en reconnaissant et en acceptant votre passé que vous allez commencer votre processus de guérison pour enfin pouvoir vivre une sérénité harmonieuse. Grâce à cette nouvelle tranquillité d'esprit, vous pourrez tourner la page et poursuivre votre route. Si vous êtes assez sage pour accepter que votre passé soit derrière vous, cela vous donnera la force et la détermination pour le surmonter.

Une personne qui accepte son passé et ses conséquences ne se remémore pas sans cesse ses souvenirs déplaisants. Elle ne s'en plaint pas et n'en devient pas victime. Elle les élimine de son répertoire de souvenirs à raconter, puisqu'elle les a affrontés et surmontés. À quoi bon les conserver si elle s'en est dégagée ? Elle assume la responsabilité de son vécu, mais elle lâche prise aussi sur ses pertes.

Si quelqu'un vous parle par exemple de sa séparation conjugale, puisqu'il lui est impossible de changer son passé, il vaut mieux qu'il tolère sa condition au lieu de déblatérer sur ses blessures devant qui veut l'entendre. C'est en affrontant ses propres peurs et en admettant ses erreurs personnelles qu'il laisse toute la place au pardon de l'autre et de soi. C'est aussi en ayant le courage et la volonté de surmonter sa peine, sa perte et son échec, seul ou avec de l'aide extérieure, qu'il s'en sortira. Bien sûr, il lui faudra du temps, mais selon la profondeur de ses blessures et selon sa personnalité, cela appartiendra au passé à plus ou moins long terme. Par la suite, une fois ce conflit surmonté, il lui sera possible de s'ouvrir à une nouvelle relation, puisque son processus de guérison sera achevé.

L'amour de soi peut vous rendre méconnaissable

Il m'arrive de plus en plus de rencontrer des personnes paralysées par leur souffrance intérieure. Le regard vide, elles m'avouent que cette souffrance et la crainte de la surmonter font maintenant partie intégrante de leur vie et, par mécanisme de défense ou autrement, elles ont inconsciemment appris à vivre avec elles. Plusieurs de ces êtres humains semblent croire qu'il faut une solution magique pour cesser d'être une victime ou pour se défaire de l'emprise de ses sentiments négatifs.

Comme ils veulent s'en sortir, ils cherchent une solution qui n'existe pas et cela retarde leur cheminement personnel. Ce qui entraîne parfois un renoncement à se prendre en charge. Et pourtant, ils pourraient très bien compter sur une possibilité hors pair pour voir enfin la lumière au bout du tunnel. Il s'agit d'une force puissante, gratuite, disponible à tous et que vous pouvez vous procurer sans l'aide d'autrui, c'est-à-dire *l'amour de soi.*

Lorsque vous déciderez de faire la paix avec votre vie, établissez un plan d'action afin de vous aider dans votre cheminement. Inscrivez sur ce plan les choses que vous désirez changer, par exemple votre attitude, certains comportements, votre humeur et ainsi de suite ; cela peut englober votre présent et vos souhaits pour l'avenir. Et pour en arriver à éliminer vos sentiments négatifs, trouvez d'où ils proviennent et cherchez à les approfondir pour les comprendre davantage.

Bien entendu, pour amorcer ce processus, vous devrez fournir un effort, vous armer de patience et de sagesse, et avoir confiance. Pour changer votre vie sur plusieurs plans, il faut un engagement significatif de votre part : vous devez vous engager à 100 %.

Acceptez enfin vos imperfections et vous commencerez à mieux vous respecter. Le degré de vos échecs varie, bien sûr, mais ne soyez pas pour autant embarrassé à long terme. Pour réussir votre croissance personnelle, il est primordial que vous effectuiez vous-même les démarches, car ce sont vos peines, vos malaises et vos échecs que vous devez réussir à surmonter.

L'amour de soi dérange

Il est triste de constater que de s'aimer soi-même soudainement peut parfois déranger les gens de notre entourage. Lorsque vous êtes bien dans votre peau, vous débordez de confiance et n'avez aucune crainte de vous exprimer. Ceci pourrait être perçu négativement par certaines personnes portées à vous juger, parce qu'elles ne comprennent pas ce nouveau changement en vous. Leurs préjugés influencent grandement leur façon de vous percevoir.

En demeurant confiant et en renonçant à accepter leurs préjugés, vous découvrirez de nouveaux amis qui adoptent une nouvelle perspective comme la vôtre, une vision beaucoup plus saine de la vie.

L'amour de soi dans une relation de couple

J'ai rencontré tellement de personnes malheureuses qui tenaient leur conjoint responsable de leur bonheur. Comme vous devez être triste si vous pensez ainsi. Apprenez à vous aimer vous-même et à préserver votre amour-propre avant tout. Ne laissez jamais votre conjoint devenir le pilier de votre vie.

Il est trop facile de vous laisser complètement absorber par votre relation amoureuse au point de vous oublier vous-même littéralement, de perdre votre identité personnelle et même votre confiance en vous-même. Trop de gens souffrent intérieurement de n'avoir jamais appris à s'aimer eux-mêmes avant d'aimer autrui. Ils deviennent si dépendants de leur conjoint qu'ils seraient prêts à endurer des injustices terribles simplement pour ne pas se retrouver seuls.

Une personne qui ne s'aime pas éprouve beaucoup de difficultés à vivre des moments de solitude. Elle ressent un tel vide intérieur qu'elle cherche à le combler à tout prix, même si elle s'enlise dans des relations intolérables. Sa soif d'être aimée la porte à poser certains gestes et à accepter toutes sortes de tourments incroyables, allant même à l'encontre de sa propre volonté, pourvu qu'elle ne se retrouve pas en proie à l'obsession de son vide intérieur.

L'amour de soi est primordial pour assurer une relation dont le but est de vivre et laisser vivre, une relation basée sur le respect et l'harmonie. On l'a dit souvent et ça demeure vrai : « Tu ne peux offrir aux autres ce que tu ne possèdes pas déjà en toi-même. » Mais cet amour de soi, ce sentiment ultime de ta valeur personnelle, peut se développer. C'est cette noble émotion qui entraîne le respect de soi.

S'aimer soi-même, c'est croire en soi avec sincérité. On y arrive en se découvrant, en se disciplinant, en se pardonnant et en s'acceptant tel que l'on est, avec son passé et ses défauts. L'amour de soi, c'est ressentir une confiance inébranlable en soi et être fier de ce que l'on représente aujourd'hui. C'est pouvoir se regarder dans le miroir et se dire : *Je m'aime.* L'amour de soi nous transforme au point où on devient épanoui et si confiant que notre attitude évite toute possibilité de jalousie et de manipulation dans notre relation de couple.

L'amour de soi facilite non seulement l'harmonie au cours de notre relation amoureuse, mais il aide aussi à sauvegarder cette harmonie si nous sommes amenés à vivre une rupture d'un commun accord ou par décision personnelle de l'un des deux. L'amour n'est pas un besoin mais un choix. L'amour de soi nous permet de choisir justement la personne dont le caractère est compatible avec le nôtre, selon nos critères et nos besoins ; car par amour pour soi-même, on peut bien se permettre certaines exigences, quitte à passer parfois pour quelqu'un de difficile à satisfaire.

Je crois que l'amour de soi nous rend plus sélectifs dans nos choix amoureux et amicaux.

Il est toujours plus facile d'être amoureux et de vivre une relation avec une personne qui s'aime, car son humeur et sa joie de vivre sont beaucoup plus agréables que le défaitisme. De plus, une personne qui s'aime est vraie et authentique, ce qui rend la relation franche et sécurisante dans les moindres détails.

Si vous désirez améliorer votre relation de couple, voyez d'abord à être meilleur pour vous-même. Bien sûr, votre relation amoureuse en bénéficiera, et par surcroît ce sera extrêmement bienfaisant pour vous. J'ai déjà eu le privilège d'observer des gens dont la vie s'est métamorphosée dès l'instant où ils ont commencé à s'aimer.

Je vous suggère donc d'énumérer cinq comportements ou défauts que vous pourrez modifier afin de vous aimer davantage. Engagez-vous à faire les démarches nécessaires pour vous transformer par amour pour vous-même.

Aider son prochain : les temps ont changé

À l'époque de nos ancêtres, à peine deux ou trois générations passées, les liens des habitants des petits villages étaient tissés serrés et les paroissiens étaient serviables un envers l'autre. L'entraide était de mise au quotidien pour tout un chacun et le contraire chez un villageois aurait été étonnant.

Le troc était fréquent à l'époque, c'est-à-dire l'échange de services. Les fermiers échangeaient une partie de leurs récoltes avec le boulanger pour des miches de pain, alors que le boucher offrait de belles coupes de viande au mécanicien, qui effectuait des réparations sur son tracteur défectueux, sans frais. Les gens se confiaient et se racontaient leur vie avec confiance tout simplement pour le plaisir d'apprendre à se connaître entre eux.

Si une famille avait le malheur de perdre sa maison et tous ses biens matériels dans un incendie, la communauté s'empressait de lui apporter un appui moral et matériel. Elle recevait toute l'aide nécessaire pour bâtir une nouvelle demeure, en collectivité, sans problème. C'était en effet chose courante de s'entraider à l'époque, car les gens étaient bons et n'hésitaient pas à y consacrer le temps nécessaire.

Le dimanche matin, les paroissiens fraternisaient sur le perron de l'église avant de se regrouper pour un bon dîner entre amis et familles. Cette journée était consacrée au repos et à la famille. Les enfants jouaient ensemble et quand c'était le temps des tâches ménagères, ils s'impliquaient. Aller cueillir des fraises ou des bleuets était une activité familiale joviale où tous s'amusaient. Ce n'était pas considéré comme un travail ni une corvée, c'était plutôt pour aider la famille à concocter de bons desserts.

De nos jours on fraternise moins, on a une certaine méfiance entre voisins et on exprime son amour simplement en appuyant sur une touche de clavier de notre ordinateur branché sur des réseaux sociaux qui indique « J'aime » ! Oui, les temps ont bien changé. On a même parfois besoin de s'obstiner avec nos enfants pour les encourager à tondre la pelouse ou à sortir les vidanges. L'aide aux tâches ménagères et familiales semble de nos jours trop ardue à certains enfants. L'argent est souvent la source de motivation pour nos jeunes et non un dévouement avec cœur.

Aussi je dois noter, chez les personnes souffrant d'insécurité et de jalousie, qu'un cellulaire peut servir à contrôler un conjoint à distance par des messages et des questions qui sont du harcèlement pur et simple. Si ce que je vous relate vous parle, permettez-vous de ne pas répondre instantanément à tout message de votre expéditeur, surtout s'il s'en sert pour contrôler vos allées et venues. Prenez le contrôle de votre vie et ne vous laissez pas envahir à tout instant par votre cellulaire ; apprenez à le fermer au besoin.

Faites un test ce mois-ci et examinez-vous. Soyez conscient du nombre de fois que vous êtes distrait en présence de vos proches à cause de votre cellulaire. Combien de temps de qualité perdez-vous parce que vous êtes déconcentré, occupé à savoir qui vous écrit et à lui répondre sur les réseaux sociaux. Allouez-vous la paix de délaisser cette distraction de plus en plus présente dans notre société et détachez-vous raisonnablement du besoin d'être concentré ou disponible à toute minute de votre journée sur votre iPhone. Reprenez contrôle de votre temps et de votre vie par amour pour vous-même et votre famille.

Les masques

Afin de faire la paix avec soi-même, il est primordial de laisser tomber tous vos masques et de puiser le courage de vous montrer tel que vous êtes vraiment, sans artifices. Être soi et authentique se veut le fondement de toute quête spirituelle ou personnelle ; cela permet à tout être humain d'évoluer en profondeur et assure une meilleure santé mentale, car en se sachant honnête et vrai, on exprime ses tourments intérieurement sans peur ou retenue.

Être soi, sans ambiguïté, n'est pas facile ; cela prend normalement de la pratique et un certain temps avant d'arriver à un tel automatisme au point d'en faire un mode de vie. On a été conditionné dès la jeunesse à faire attention à ses paroles afin de ne pas blesser quiconque et de ne pas exprimer le fond de notre pensée ou ce que l'on ressent, surtout si cela peut humilier et blesser autrui. De façon générale, on nous a enseigné à ne pas contrarier nos parents et à faire attention à nos propos envers les autres par respect, mais par respect pour qui au juste? On a appris à ne pas exprimer certaines vérités et à répondre par certaines faussetés afin de plaire au besoin et de ne pas déranger.

On nous a imposé la pratique d'une religion qui, par la force des choses, nous a appris des faits quelquefois bizarres sans nous donner la possibilité de les questionner. Se faire dire qu'un homme a marché sur les eaux et qu'on montera au ciel après notre mort en est un bon exemple. À chacun ses croyances, je vous l'accorde, mais pourquoi imposer certaines croyances à vos enfants sans leur donner le droit de les refuser? Combien de jeunes ayant des parents très croyants mais qui imposent trop de discipline se sont tournés vers la drogue et la délinquance!

Quant à la ligne de pensée liée aux mensonges sociaux tels que certaines superstitions, des préjugés, certaines croyances sans fondement voire absurdes, ceci servait à quoi au juste? Se faire dire que de passer en dessous d'une échelle apporte de la malchance servait à quoi au juste?

À l'école, j'ai avisé un de mes professeurs que je ne voyais pas bien au tableau et il m'a répondu que ce n'était pas vrai et d'ouvrir plus grands mes yeux, car j'étais sûrement fatigué. J'ai appris ensuite à faire semblant que je voyais le tableau pour ne pas être ridiculisé et mes études ont été un désastre. Quelques années plus tard, après un examen de la vue, j'ai appris que des lunettes de correction m'étaient nécessaires. Un jour, j'ai exprimé à un docteur que j'avais mal aux intestins depuis plusieurs mois et il m'a répondu que, selon lui, mon mal de ventre était imaginaire. Quelques années plus tard, j'ai dû avoir recours à une opération en vue d'enlever ma vésicule biliaire pour me libérer de ce mal. Combien d'amoureux ne se permettent pas d'exprimer leurs sentiments de peur de se faire dire qu'ils chialent toujours ? Voici quelques exemples qui nous incitent à porter des masques et qui ont pour effet de nous faire agir et parler avec prudence et parfois même avec fausseté.

Il est important selon moi de baigner dans la vérité de notre âme et d'être capable de s'exprimer sans retenue. Oui il est important d'avoir une certaine finesse et délicatesse afin de préserver l'harmonie, mais exprimez-vous dans la plus pure des paroles et soyez fidèle à vous-même ! Rappelons qu'une des composantes de l'amour en soi consiste à se sentir honnête et vrai envers soi.

Combien de gens nous ont fait rire durant toute la journée et se couchent le soir en pleurant ! Quelle tristesse et pesanteur que doivent supporter ceux qui portent ce masque de clown humoriste afin de bien cacher leur tristesse. Combien de gens portent le masque d'une personne forte quand en réalité ils souffrent en silence, sur le bord d'une dépression contrôlée ou médicamentés. S'ils ne s'accordent pas le droit d'exprimer leur vulnérabilité et leur chagrin, le temps les rattrapera assurément. Le port d'un ou des masques implique un prix lourd à payer un jour.

Une pensée à propos des masques

Ne vous laissez pas tromper par mon humour, par mon sourire et par mon charme, car je porte mille masques.

Faire semblant est devenu une seconde nature pour moi et j'en suis fatigué. Je donne l'impression d'être sûr de moi, que mon nom est confiance, et que tout est beau et rose à l'intérieur de mon cœur, mais de grâce, ne vous laissez pas tromper encore une fois.

Ma surface semble belle, mais elle n'est pourtant qu'un masque. Dessous se trouve le vrai moi, confus, craintif et seul, mais je ne veux pas qu'on le sache. Je tremble à la pensée que mes faiblesses puissent être exposées aujourd'hui, car je ne veux pas avoir honte encore une fois.

Je suis fatigué de me cacher et de ne rien dire de ce qui pleure en moi. Quand je joue mon jeu, ne te laisse pas tromper par ce que je dis ; essaie plutôt d'entendre ce que je ne dis pas.

Je veux apprendre à m'aimer et à être vrai dans ma vie, même si parfois c'est la dernière chose que je semble vouloir. Je suis exténué de courir et je t'en prie, réveille-moi.

Pour accentuer mon évolution, je m'engage à partir d'aujourd'hui à faire la paix avec moi-même et à être vrai, sans artifice ni masque.

Chapitre 2

ÊTRE VRAI DÉRANGE

Être soi-même n'est pas toujours bienvenu, surtout si nous sommes entourés d'individus qui refusent d'entendre ou de voir la vérité sur certains faits de la vie. Pour comprendre cet exemple, vous n'avez qu'à dire à un alcoolique qu'il doit avoir tout un mal de vivre dans son cœur pour consommer autant. Il sera sûrement insulté et frustré d'entendre de tel propos et il refusera même cette vérité qui est sûrement déjà connue de son entourage depuis longtemps.

Les vraies paroles font souvent réagir et ce n'est pas facile pour tout le monde de les accepter ni de les entendre. J'ai toujours fait mes conférences en livrant très directement mes opinions sur l'amour, sur le respect et surtout sur notre part de responsabilité dans tous les tristes incidents de notre vie. Ce message a été entendu par des milliers de gens à plus de 3 500 représentations et sachez qu'il y a toujours un pourcentage de personnes qui refusent d'entendre ces vérités. Ainsi, parmi les nombreux courriels que je reçois chaque jour, il y en a au moins un qui est rempli de bêtises provenant d'une personne frustrée qui refuse de voir que ses choix et actions avaient des conséquences en fin de compte. Trop de gens aiment blâmer les autres, refusant d'envisager qu'ils aient pu mal agir.

Dire les vraies choses

Après un échec amoureux, combien de gens refusent leur part de responsabilité ? Cela vaut autant pour les maladies mentales ou physiques qui surviennent dans nos vies. Les personnes atteintes préfèrent blâmer tout le monde au lieu de se retrousser les manches et d'avancer en cherchant à apprendre la source du problème et de leurs erreurs. Je crois que tout divorce est une succession de mauvais choix ou de mauvaises paroles. Pensez-y bien. On ne divorce normalement pas d'une bonne personne attentionnée, aimante et fidèle. Je crois qu'on récolte le fruit de nos semences et qu'on doit tirer des leçons de nos expériences de vie, sinon on reproduira des situations similaires.

En réalité, pourquoi sourire si l'on se sent profondément triste ? Pourquoi dire que tout va bien quand ce n'est pas le cas ? Pourquoi démontrer qu'on a confiance si l'on ressent de l'inquiétude et la peur ? Pourquoi dire « je t'aime » quand en réalité nos actions démontrent tout le contraire ? Soyons transparents !

Trop de gens s'adaptent aux attentes de leur entourage. Ne soyez pas une marionnette qui vise à plaire, mais la version originale de vous-même.

~~~~~~~~~~~~~~

L'exercice du miroir

Regardez-vous dans un miroir pendant 10 minutes et demandez-vous si vous aimez vraiment la personne que vous voyez. Posez-vous les vraies questions et ressentez en vous les vraies réponses. Vous ne pouvez vous mentir à vous-même trop longtemps lors de cet exercice. Êtes-vous fier de vous ? Prenez soin de vous regarder droit dans les yeux. Qu'y lisez-vous ? La honte, la tristesse, la gêne, la culpabilité, la haine, la peur, l'hypocrisie, la jalousie ou l'amour de soi ?

À présent, pensez aux gens que vous avez blessés et qui vous ont blessé sur la route de votre vie. Réfléchissez à vos comportements passés. Par la suite, considérez les blessures que vous vous êtes infligées à vous-même et aux autres, par des pensées ou des actions négatives.

Êtes-vous heureux de ce que vous êtes devenu ? Avez-vous pardonné à tous les gens qui vous ont blessé ? Vous pardonnez-vous tout le mal que vous avez fait subir aux autres ? Êtes-vous sincère et honnête avec vous-même ? Regardez-vous dans les yeux avec une profondeur sans égale. Regardez comment vous avez vieilli et prenez conscience de cette vérité : la vie avance vite.

Est-ce que certains mauvais souvenirs vous hantent encore, vous empêchent d'évoluer et de vivre dans la paix ? Si vous entretenez un sentiment de haine envers quelqu'un, soyez conscient que vous êtes l'esclave de ce sentiment et que vous portez toujours en vous cette souffrance. Vous risquez de devenir pareil à celui que vous détestez.

Regardez-vous à nouveau dans les yeux, dans le miroir, et demandez-vous quels traits de caractère vous avez acquis de vos parents. Ces traits sont-ils plus négatifs que positifs ? Une prise de conscience s'impose afin d'être capable de briser la copie conforme du parent qui vous a mal démontré son amour, sinon vous risquez de faire un coup semblable à vos enfants, un jour. Soyez-en conscient et brisez ce *pattern*.

Cherchez donc à accueillir en vous l'enfant blessé, et regardez-le dans les yeux pour y apercevoir les émotions que votre visage exprime. Imaginez un instant que votre enfant intérieur peut vous parler. Qu'est-ce qu'il vous dit ?

Par amour pour vous-même, faites la paix avec votre passé, pardonnez et avancez dans l'amour. Regardez-vous dans les yeux et aimez-vous assez pour vous accorder cette libération émotionnelle. Je vous le souhaite de tout cœur.

Les yeux sont le miroir de l'âme

Avez-vous déjà remarqué que certaines personnes sont incapables de vous regarder dans les yeux quand elles vous parlent ? Elles ont le regard fuyant. C'est parfois le signal de problèmes émotionnels ou d'un manque de confiance.

Des yeux clairs, illuminés et heureux proclament la joie, la paix, la confiance et la tranquillité d'esprit, tandis que des yeux au regard vide et écorché indiquent tout à fait le contraire. La différence réside dans l'amour qu'une personne nourrit à l'égard d'elle-même et dans les habitudes de vie qu'elle a adoptées. Avez-vous déjà plongé les yeux dans ceux d'un malade ? Les yeux révèlent la bonne ou la mauvaise santé d'un individu. Voilà pourquoi un médecin examine souvent les yeux de son patient. Il sait très bien que les yeux peuvent révéler une maladie ainsi que sa gravité. Ils sont le miroir de l'âme.

Je vous souhaite un rétablissement si vous avez vécu un manque d'amour de vous-même ou une carence affective. Je vous souhaite aussi d'être un jour capable de vous regarder dans le miroir sans crainte ni difficulté. Pour y arriver, il vous faudra d'abord apprendre à vous aimer malgré votre passé de mal-aimé, puis à vous réconcilier avec autrui et à devenir enfin un être bien-aimé. Si vous en venez à la conclusion que vous n'aimez pas ce que vous voyez dans le miroir, ce n'est pas le miroir qu'il faut briser, mais plutôt vous qu'il faut changer.

La discrétion

De nos jours, trop de gens divulguent des détails intimes de leur vie ou de leur relation amoureuse et manquent parfois de discrétion. Ils partagent ouvertement leur mécontentement sur des réseaux sociaux, mais n'expriment rien à la personne touchée ou intéressée. Les conversations intimes entre amis ou amoureux ne devraient pas être révélées au grand jour. Certaines déclarations sont confidentielles et privilégiées, et il est important de faire la part des choses pour ne pas manquer de respect envers quiconque. Certains iront jusqu'à dévaloriser les autres publiquement pour se remonter eux-mêmes. Soyez toujours vigilant avec des gens qui vous parlent en mal des autres, car un jour elles parleront en mal de vous.

Pour éviter de trahir votre partenaire, imaginez qu'il est à vos côtés quand vous parlez de lui, et dites alors seulement ce que vous diriez en sa présence. Dans certains cas, le manque de respect est poussé à l'extrême, comme de rabaisser les exploits sexuels du ou de la partenaire en révélant des détails de leurs ébats sexuels insatisfaisants.

Quand vous parlez de votre vie de couple, soyez conscient de ce que vous dites. Ne franchissez pas la ligne du non-respect de l'autre. Il n'est pas nécessaire de répondre à toute question indiscrète ; parfois d'ailleurs le silence vaut de l'or.

Il y a aussi des gens qui dramatisent et exagèrent tellement leurs problèmes relationnels que leur entourage se met à perdre peu à peu l'estime pour ce couple. Éventuellement les gens ridiculiseront cette union devenue malsaine à leurs yeux.

Les dépendants affectifs aiment avoir plusieurs confidents, car ils se sentent importants et vivants chaque fois qu'on écoute leurs problèmes. Ils aiment se plaindre et chialer pour sentir qu'on les appuie, car ils ne se comprennent pas eux-mêmes. On peut ainsi constater le degré de respect dans un couple à la rupture de leur union. Trop souvent, après une séparation, nous nous permettons d'abaisser l'ex-conjoint publiquement pour justifier notre position dans cette séparation. N'oubliez jamais que le résultat de votre rupture restera le même, peu importe le coupable. Parler en mal de son conjoint prouve que le respect qu'on affichait lors de la relation était superficiel.

N'oubliez pas que les gens qui parlent en mal des autres parlent normalement d'eux-mêmes. C'est ce qu'on appelle de la projection émotionnelle. Ces gens refusent de voir en eux tout ce qu'ils voient facilement chez les autres.

Il est toujours plus facile d'être discret et de respecter autrui lorsque vous avez du respect pour vous-même. Je crois qu'il est beau d'entendre une personne parler de son ex-conjoint avec respect et même, dans certains cas, avec une affection et un amour inconditionnels. Il n'est jamais trop tard pour mûrir et parler en bien de ses ex-conjoints, peu importent les discordes du passé. Faites la paix en leur souhaitant du bon et du bien.

Le karma

Le karma est une loi spirituelle inspirée en partie de l'hindouisme, du bouddhisme et de plusieurs autres religions orientales. Cette loi prétend que toute parole ou action, bonne ou mauvaise, revient se manifester un jour ou l'autre à son auteur, avec la même intensité sinon mieux ou pire.

Vous avez sûrement entendu le proverbe *Crache dans les airs et cela te retombera sur le nez un jour ou l'autre.*

Selon les enseignements spirituels, tout ce que l'on projette dans l'univers nous revient comme un cycle naturel de la vie, qu'on y croie ou non. Dans notre culture occidentale, on parle plutôt de la loi du retour, du retour du balancier, de la loi du talion, de l'effet boomerang ou du retour de l'ascenseur.

Du fait que ce principe semble simple et logique, plusieurs y adhèrent et en parlent comme d'une science exacte. Ils nous diront que le fait de semer du bon, du bien et du beau les assurera de la même chose en retour. Mon seul bémol a trait au fait qu'on ne doit pas faire le bien en pensant en recevoir autant en retour; on doit aider et donner par amour tout simplement. En effet, un service en attire un autre, idée bien connue de tous depuis fort longtemps, mais donner sans attente et de bon cœur demeure, à mon avis, la meilleure façon de penser.

Donner, c'est offrir dans le but d'aider, de faire plaisir, pas en vue d'un retour. On le fait avec cœur, avec la volonté de rendre l'autre heureux. Donner en attendant en retour, ce n'est plus un don, mais un échange. Soyez généreux de votre temps, de votre argent, de votre sourire et de votre amour. Peu importe ce que vous donnez, rappelez-vous que le geste en soi est noble.

Lors de mes interventions et conférences en milieu carcéral, plusieurs personnes m'ont déclaré que le karma est la seule vraie justice en ce bas monde, car elle attrape sans pitié tous ceux qui blessent leur prochain, sans exception. Dans la même veine, certaines personnes incarcérées m'ont affirmé que le fait de croire au karma les aide désormais à se rétablir en adoptant de meilleures attitudes et comportements à l'égard des autres, par peur de représailles dans ce cycle universel. Si la peur d'un retour du balancier peut les aider, alors tant mieux! La peur ne fait pas que du mal en ce sens, mais adopter une discipline personnelle dans le respect de son prochain, selon moi, reste préférable.

Je me questionne sur cette loi spirituelle lorsque je vois de mauvaises choses arriver à de bonnes personnes. Pourquoi un enfant mériterait-il un cancer ou un handicap de naissance, s'il n'a rien fait pour attirer ce karma ? Pourquoi un bon père de famille mériterait-il que sa femme le trompe et le quitte pour un amant dans une histoire sexuelle sans issue ? Que dire maintenant des enfants innocents et sans défense qui se font abuser sexuellement ? Et pourquoi, il y a quelques années, un tsunami a-t-il causé la mort de plus de 700 000 victimes sans défense dans un pays déjà miséreux sur tous les plans ?

Pour équilibrer le tout et demeurer réaliste et fidèle à moi-même, je dois vous rappeler qu'à la base, le karma est une croyance spirituelle religieuse et non une science exacte confirmée. Jusqu'à maintenant, personne ne peut prouver que le karma existe vraiment hors de tout doute, malgré plusieurs coïncidences d'histoires du retour du balancier qu'on a tous sûrement déjà vécues un jour ou l'autre.

Il est quand même logique et bon d'adopter à la base le principe de traiter les autres comme on aimerait être traité. De cette façon, les chances d'attirer de bonnes personnes et de bonnes choses ne peuvent qu'augmenter.

Dans le même ordre d'idées, il faudrait peut-être enseigner aux pauvres à offrir de bon cœur et aux riches à recevoir. Avez-vous remarqué que parfois ceux qui se plaignent le plus dans la vie de ne pas avoir d'argent ou d'amour ne font en réalité pas grand-chose pour en donner eux-mêmes ? Il est tout de même assez difficile de demander quelque chose que vous ne pouvez offrir aux autres avant tout.

Combien de politiciens nous disent donner fièrement à de bonnes causes de toutes sortes dans le but subtil d'acquérir de la publicité pour gagner des votes ! Et combien de fois un politicien se déplace-t-il afin de couper un ruban rose quand en réalité il souhaite voir son image dans les journaux le lendemain matin associée à la recherche pour le cancer, par exemple. Quelle honte et fausse modestie ! Je vous propose l'expérience d'aider votre prochain sans le dire pour en comprendre la différence ; faites-le tout simplement de bon cœur.

Commencez une chaîne de bonté entre amis ou en famille. Il y a tellement de gens dans le besoin qui pourraient bénéficier de votre temps et de vos offrandes. Faites-le et n'attendez jamais rien en retour. Si quelque chose vient, accueillez-le comme un cadeau.

Donner de bon cœur sans attente fait du bien et je vous suggère fortement d'adopter ce mode de vie. Pourquoi ne pas acheter une paire de patins à glace à la petite voisine si sa maman n'a pas l'argent nécessaire pour lui offrir ce petit bonheur. Tout au long de l'hiver, la voir patiner avec un beau sourire sera certes votre récompense. Offrez un repas à un sans-abri et prenez le temps d'aller au restaurant avec lui. Il comprendra qu'il n'est pas un fantôme dans ce monde et votre intérêt pour lui vous procurera un immense bien-être. Peu importe qui on est et d'où on vient, on est tous importants, et n'oubliez jamais qu'on a tous une histoire de vie fort intéressante.

Ne sous-estimez pas l'aide des autres

Ne sous-estimez jamais personne. En fait, vous ignorez quel individu pourrait vous venir en aide un jour ou l'autre et vous faire réfléchir sur vous-même. Je me rappelle très bien, lors de mon travail de policier jadis, avoir eu à répondre à une plainte au sujet d'un homme violent qui, en état d'ébriété avancée, avait frappé sa femme au visage. Cette altercation avait eu lieu à leur résidence devant leur fils âgé d'environ 10 ans. À mon arrivée sur place, l'enfant pleurait et semblait traumatisé par ce qui s'était produit. À cause de l'intoxication du suspect, le père du gamin, j'ai dû utiliser la force nécessaire pour le menotter, car il résistait à son arrestation et une bataille physique entre nous a dégénéré. Je crois que cette deuxième altercation a traumatisé l'enfant davantage que le motif de la plainte. Voir son père par terre crier de colère en essayant de se débattre contre un policier allongé sur lui n'a rien d'édifiant.

J'ai ensuite quitté la résidence avec l'homme pour le placer en cellule pour la nuit à la prison du quartier. Quelques heures plus tard je suis retourné à la résidence prendre la déposition de la femme, afin notamment de sécuriser l'enfant en le rassurant : son père était hors de danger maintenant. J'ai expliqué à la dame devant son gamin que son mari avait un problème de consommation d'alcool et que c'était triste de voir un homme blesser sa famille ainsi.

À ma grande surprise, le jeune gamin m'a regardé droit dans les yeux et m'a pointé du doigt en me disant : « Parle jamais de mon père en mal, toé ! »

Ce gamin m'a fait prendre conscience de l'influence toujours actuelle de ma relation avec mon père, car j'ai moi-même été frappé et traumatisé dans ma jeunesse. Je devais avoir moi aussi de la compassion et du pardon pour mon père. J'ai donc décidé durant la semaine de cet incident de visiter mon père à sa résidence pour lui dire que je l'aime. Et c'est précisément en cette journée que notre relation s'est améliorée. J'ai alors compris que parfois où il y a de la haine, il y a de l'amour. Alors soyez ouvert d'esprit à voir les messages d'amour provenant de purs étrangers, car ils pourraient changer votre vie. Jamais je n'oublierai les dires et le regard de ce gamin, jamais!

Habitez votre corps

Combien de gens utilisent leur corps mais ne l'habitent pas réellement? Habiter son corps signifie se sentir bien vivant en nous au moment présent et avoir conscience de son énorme potentiel. Notre corps est le reflet de notre intérieur.

Si vous êtes en paix et beau en dedans, c'est visible de l'extérieur à vos yeux pétillants, vos gestes et votre démarche. C'est votre véhicule pour toute la vie; il faudrait le dorloter et en prendre bien soin, car il est plus précieux que le plus beau des diamants. Habiter votre corps, c'est aussi être conscient de la présence qui l'habite, sentir votre âme bien à vous, celle qui est là depuis le jour de votre conception.

On perd tranquillement cette faculté de se reconnaître vivant et l'on semble oublier qu'on est en fait un miracle. Dans votre vie adulte et pressante, vous apprenez à vous oublier et à vous mettre de côté pour privilégier votre ego. L'ego, le roi et maître qui se nourrit parfois du paraître, du pouvoir, de matériel, d'obstination, de négatif, de conflits et de gloire. Tout pour vous éloigner de votre vraie essence, soit votre pureté, votre âme.

Avoir l'âme en paix est une liberté, une sérénité des plus recherchées en ce monde de performance et de stress.

Vivre le moment présent vous permet de ressentir et de renouveler votre amour ainsi que votre vrai moi. Lorsque vous êtes attentionné et écoutez ce qui se passe réellement au présent, vous vivez entièrement le moment qui s'offre, votre âme le ressent.

Être présent à tout ce que vous faites dans une journée donnera un meilleur sens à cette journée. Au lever le matin, prenez donc le temps de regarder dehors, de vous dire que c'est beau et de remercier la vie ! Passez devant le miroir et regardez-vous profondément dans les yeux deux minutes afin d'être conscient de votre existence et de vous ressentir au plus profond de vos tripes. Déjeunez en étant conscient de ce que vous mangez et avec gratitude, plutôt que de faire mille choses en mangeant et de vous perdre dans vos pensées au tout début de votre journée.

Allez travailler en regardant autour de vous et en prenant conscience que vous faites partie d'un tout dans cet univers. Soyez connecté, habitez votre corps et arrivez au travail en saluant non pas distraitement, mais pour vrai, vos collègues en leur accordant une attention particulière pendant au moins 10 secondes. Ceci fera la différence… essayez-le.

Lorsque vous êtes dans le présent, vos yeux le reflètent bien, croyez-moi.

Les gens qui arrivent à rester branchés sur le présent dégagent une luminosité et un magnétisme incontournables, car il habite leur corps. Aujourd'hui, prenez conscience de vos déconnexions quotidiennes et rebranchez-vous aussitôt sur le moment présent, puisque vous méritez de ressentir votre âme. Ne soyez pas un mort-vivant, vous méritez d'être là dans votre vie, réellement là !

Sortir de sa zone de confort

Vivre sa vie avec plusieurs routines au quotidien vous donne effectivement ce sentiment de sécurité et offre une stabilité de vie sans trop de changements ou de remous émotifs. Dans les gardes partagées suivant un divorce, on préconise souvent, lors du calendrier scolaire, que l'enfant habite toujours chez le même parent pour justement se sentir sécurisé, ce qui l'aidera dans ses études.

On constate que la plupart des gens aiment rester dans la même maison, dans le même quartier depuis toujours, et maintenir le même emploi le plus longtemps possible. On se couche sur le même bord du lit, on se lève à la même heure et on suit la même routine jour après jour. On accepte même parfois de vivre une relation amoureuse sécurisante, mais sans amour, plaisir ni même désir. Le simple fait d'avoir une personne dans notre vie est la sécurité recherchée, sans trop se soucier de vivre l'amour, celui qu'on dit le vrai.

Il est triste de voir des gens qui endurent un conjoint malsain pour ne pas perdre leur sécurité matérielle. Leur grosse maison et leur auto deviennent un prolongement de leur relation, comme si le matériel et leur amour étaient interreliés.

Si un divorce est envisagé par manque d'amour et de loyauté, ils considéreront leur perte de stabilité financière. Cela deviendra un aspect important de leur prise de décision. Certains préféreront ne pas se séparer de leur maison et de leur mode de vie luxueux, par manque d'amour pour eux-mêmes.

Sur le plan affectif, le mariage compte pour plusieurs davantage comme une sécurité d'engagement qu'une preuve d'amour, le vrai. Ils croient que la longévité de leur relation est assurée par ce mariage et s'imaginent que leur union sera plus facile.

Trop souvent c'est le contraire qui se produit, car la routine à la capacité de nous endormir dans un tourbillon d'actions similaires. Avec le temps, on tient l'autre pour acquis, on l'apprécie moins, on s'amuse moins et on est moins spontané et émerveillé, car tout est du déjà-vu. On devient tellement automatique et prévisible qu'on est comme un acteur dans un film (ou au théâtre) qui doit tenir le même rôle jour après jour.

Le changement est inévitable dans la vie, qu'il soit volontaire ou non. Il réveille en nous certaines peurs, souvent minimes mais qui peuvent aller jusqu'à l'anxiété. Sortir de sa zone de confort comporte parfois des risques et de l'inconfort, mais c'est dans le changement qu'on se dépasse et qu'on améliore sa vie.

Bien qu'on puisse voir l'ampleur d'un changement comme une montagne à gravir, il s'agit de réaliser le premier geste et de l'assumer. Permettez-vous surtout d'accepter une situation inconfortable lorsque vous êtes en transition de changement, et dites-vous que c'est très normal, car on s'aventure dans l'inconnu et traverse une zone d'inconfort.

Combien de gens se séparent d'un conjoint méprisant avant de retourner avec lui quelques semaines plus tard parce qu'ils se sentaient inconfortables seuls ! Combien d'individus arrêtent de fumer la cigarette, mais recommencent cinq jours plus tard parce qu'ils ne peuvent supporter d'être mal à l'aise dans ce sevrage ? C'est le même scénario avec les multiples diètes non réussies.

Il va y avoir des changements imposés dans votre vie et il n'en tient qu'à vous de vous y adapter le plus vite possible, malgré vos peurs et votre inconfort. Plus on pratique le changement, plus on s'en accommode avec aisance. Le changement est inévitable et fait partie de nos vies, aussi bien s'y accoutumer et l'accepter.

Le bonheur dans les petits détails

Le bonheur est un état d'âme qui se cultive et s'entretient autant dans de petits détails ou gestes que dans les grandes réalisations. D'où l'importance de s'arrêter et de prendre le temps de s'allouer au quotidien une multitude de petits plaisirs simples qui peuvent parfois sembler anodins. Lorsque j'étais enfant, mon père m'amenait à l'occasion en soirée, avant l'heure du coucher, déguster une crème glacée, même en pyjama. Presque 40 ans plus tard, cet agréable souvenir reste gravé dans ma mémoire et aujourd'hui je fais souvent de même avec ma fille âgée de 10 ans.

Un de nos plaisirs quotidiens à ma fille Laurence et moi,
c'est de se se balader sur l'eau et de nourrir les canards sur le quai.

Ce n'est que plus tard qu'on se rend compte que certains petits moments insignifiants étaient en réalité de grands moments mémorables. Trouver sa joie dans l'accomplissement de petits gestes au quotidien, c'est un art de vivre. Un dicton de la sagesse chinoise commande de se plonger dans la banalité de son quotidien pour en faire surgir de petits trésors.

Ne sous-estimez jamais de nouvelles activités qui vous sont offertes. N'ayant aucune attente, vous risquez d'être agréablement surpris. Il nous est arrivé à tous, un jour ou l'autre, d'aller à un événement à reculons, qui s'est avéré des plus plaisants malgré notre résistance à nous 'y rendre. Je me souviens de la fois où je me suis rendu à des funérailles, où j'ai eu l'occasion de renouer avec plusieurs amis, malgré la tristesse des circonstances. À ma grande surprise, j'ai apprécié cet après-midi-là, contrairement à ce que j'anticipais.

Il est bon de choisir ce qui vous procure de belles sensations et de les reproduire au besoin. Je suggère souvent aux personnes déprimées d'entreprendre des activités qui, enfant ou plus jeune, les rendaient heureuses. Des actions aussi simples que de retourner dans la nature où vous jouiez après l'école, afin d'évoquer une certaine nostalgie et de bons souvenirs qui vous ramèneront à cette époque heureuse de votre vie.

Le bonheur est en partie un sentiment de plénitude et de gratitude à adopter au moment présent. Dans mon cas, j'adore démarrer ma journée en allant au bistro du coin tout près de ma demeure, pour y apprécier l'odeur d'un bon café et lire le journal du matin. En fait, je le fais depuis plusieurs années et je vois maintenant combien cette habitude me détend et m'aide à entamer ma journée en douceur. Je considère ce temps tout à moi, comme un moment que j'apprécie énormément tous les jours et qui fonctionne à merveille, dans l'optique de me rendre heureux. Vraiment il est bon de trouver des méthodes ou des habitudes à entretenir pour agrémenter notre quotidien.

On a tous des petites actions ou des détails qui nous rendent heureux, et il appartient à chacun de les intégrer dans leur quotidien, au besoin. Prenez le temps de vous accorder des petits plaisirs qui rendront votre journée extraordinaire.

J'aime aussi les repas en famille assis avec plusieurs enfants autour d'une table, car ceci me rappelle tellement mon enfance. J'adore avoir des discussions avec les gens que j'aime et même de parfaits inconnus, car ceci me nourrit intellectuellement et émotionnellement. J'aime parler, j'aime écouter et j'adore apprendre des gens. Très souvent je suis inspiré par des histoires ou des paroles de gens que j'ai croisés par hasard durant ma journée. J'ai appris à écouter attentivement en me disant qu'on ne rencontre jamais personne pour rien et qu'il n'y a pas de hasard dans la vie.

Je vous suggère de pratiquer une activité tous les jours avec vos proches. Dans mon cas, j'adore demander à ma fille trois choses qu'elle a aimées durant sa journée. Chaque fois, ses réponses me surprennent et j'apprends de petits détails qui la rendent heureuse. Cet exercice me démontre que le bonheur est relatif d'une personne à l'autre. Je peux déployer tous les efforts nécessaires dans une activité qui prend beaucoup de temps, mais je constate qu'à la fin de la journée, ce qui a retenu l'attention de ma fille était des banalités à mes yeux. J'apprends ainsi à la découvrir de jour en jour.

Souvenez-vous de la journée où la tristesse vous a envahi jusqu'à ce que vous contempliez un simple coucher de soleil. Ou rappelez-vous le rire d'un enfant grâce auquel vous avez retrouvé votre sourire. Gardez les yeux et la conscience ouverts, car les petits bonheurs se trouvent partout autour de vous.

L'apitoiement

Se poser en victime retarde l'évolution personnelle et le processus de guérison. La raison profonde de toute cette mise en scène est un manque d'amour (pour soi) et de maturité. Se plaindre continuellement de circonstances indépendantes de sa volonté nourrit un malaise émotif. De nos jours, trop de gens aiment jouer à la victime afin de se faire plaindre et de susciter la pitié dans leur entourage. Ceci leur procure un sentiment existentiel et une certaine attention qui nourrit leur vide intérieur mais qui, à long terme, risque de les maintenir dans l'apitoiement.

Leur conversation tournera souvent autour de leurs histoires péniblement vécues. Parler de blessures émotives et d'injustice deviendra pour eux un mode de vie. Une séparation amoureuse sera souvent leur sujet de discussion à priori, même plusieurs années après leur divorce. Se sentant facilement persécutés, ils tendent à remarquer les drames plutôt que les faits parfois trop évidents.

Ils nageront dans la tristesse au quotidien sans se rendre compte que leur comportement est destructeur pour leur propre moral et celui des autres. Effectivement, l'apitoiement attire la déprime et, par ricochet, il affecte les gens autour d'eux, avec qui ils maintiennent un lien direct et intime – tels que leur famille immédiate, le conjoint et les enfants.

Avec le temps, leur radotage sentimental éloigne l'entourage, car écouter une personne radoter sur sa tristesse devient un fardeau insoutenable. Leur discours sera prévisible avec le temps et les mêmes histoires referont surface de jour en jour, comme un vieux disque de musique égratigné.

En se croyant une victime, leur estime personnelle en prendra un coup et ils perdront leur responsabilité de s'aider et d'être autonome. Certains iront jusqu'à s'inventer des maladies afin de se maintenir en position de victime. Ils adorent raconter leur tout dernier problème de santé ou d'injustice à tout un chacun, comme s'ils en étaient fiers. Dans une discussion de groupe, ils profiteront de l'occasion pour se plaindre à chacun individuellement, afin d'obtenir le plus d'attention possible.

Être une victime, c'est aussi être masochiste, c'est entretenir sa condition de faible.

La haine contre la vie et envers les autres s'installera chez certaines de ces victimes et leur radotage sentimental s'amplifiera au fil des années. Les écouter sans les contrarier leur donnera l'impression qu'ils ont raison; alors osez les affronter en paroles pour les aider à se réveiller sur leur condition déprimante. Une critique constructive énoncée avec amour pourrait les insulter énormément au point de les aider. Parlez-leur d'un ton sec et honnête afin d'essayer de freiner le comportement nocif qu'ils ont adopté.

Parfois la meilleure aide à offrir aux victimes de ce monde est de leur mentionner qu'elles sont bel et bien l'architecte de leur propre vie et que leur malheur leur appartient. Dites-leur qu'il serait bien temps d'arrêter de se lamenter. Osez les affronter et les critiquer et, un jour, ils vous remercieront. Ne vous gênez pas pour leur dire comment leur attitude est névrosée et pesante aux yeux de tous, sauf les leurs bien sûr.

On constate souvent que les enfants et conjoints de ces victimes pitoyables leur ressemblent avec le temps. Vivre en présence d'une victime est contagieux; alors attention de faire la part des choses si c'est votre cas. Les problèmes des autres ne vous appartiennent pas et il est important d'en être totalement conscient.

Détachez-vous bien de leurs histoires et restez bien branché sur votre réalité par amour pour vous-même.

Une femme divorcée depuis 10 années m'a demandé combien de temps elle resterait triste de cette séparation et je lui ai répondu : «aussi longtemps que tu le désires». Je voulais qu'elle se rende compte que le maintien de sa peine vivante aussi longtemps en elle-même avait été en partie son choix. Ceci explique pourquoi certaines personnes ne veulent pas divorcer facilement dans le respect et l'amour, car pour elles, se voir en position de victime persécutée est plus payant sur le plan émotif que de passer à autre chose. Ces types se définissent selon leur blessure et se forment une identité propre conforme à ce qu'ils ont vécu. Apprenez à choisir vos batailles et ne dépensez pas votre énergie et votre vie à mener des luttes inutiles et insensées.

Prenez deux minutes et dressez une liste des gens les plus pessimistes qui vous entourent actuellement, et faites la paix avec leur humeur, leur problèmes, car ils ne vous appartiennent pas. La vie est parfois difficile, certes, mais il revient à tout un chacun de gérer ses émotions sans se victimiser et paralyser. Le lâcher-prise est pour les gens matures, l'apitoiement est pour les victimes immatures sur le plan des émotions. Le choix vous revient.

Gardez le moral

Si la vie a été dure avec vous, retroussez vos manches et acceptez de ne pas vous laisser abattre et démoraliser. En revanche, ne soyez pas dur avec les autres. Les sentiments de haine, de rage ou de tristesse peuvent vous hanter une vie durant si vous décidez d'y succomber. Tout comme l'amour, le mal peut être éternel. C'est à vous de faire un choix convenable et de ne jamais baisser les bras.

Besoin d'aide ?

Le passé est fondé sur des souvenirs. L'on doit vivre au présent pour foncer vers l'avenir. Si ces souvenirs vous blessent tous les jours et que vous avez besoin d'aide, allez vers quelqu'un qui est en mesure de formuler des critiques constructives à votre égard, au lieu de souffrir avec vous par pitié. N'adoptez jamais l'attitude du *pauvre petit moi*! À mon avis, personne ne fait pitié : il y a seulement des gens qui refusent de gérer leur vie avec efficacité et de se prendre en main.

Parfois ce que votre attitude dégage influe sur ce que vous allez subir à maintes reprises dans votre vie. Si vous parlez toujours de votre peur d'abandon, vous risquez qu'on vous abandonne plus qu'à votre tour.

Soyez honnête et direct

Le meilleur remède pour aider une personne qui joue à ce jeu est de lui révéler ses quatre vérités afin de le confronter à sa comédie. Cette approche constructive peut sembler celle d'un sans-cœur, mais il s'agit en fait d'un processus nécessaire pour mettre fin à cette forme d'acharnement personnel. Dire les vraies choses à quelqu'un qui veut se faire plaindre, c'est une façon de lui faire prendre conscience de son comportement. Plus la vérité est juste et pure, plus cette méthode sera efficace.

Faire la paix avec la maladie

Lors d'une visite dans une crèmerie de Chambly, j'ai rencontré Pierre-Luc, une personne avec une attitude remarquable. Pierre-Luc m'a raconté qu'à l'âge de 22 ans, le cancer s'est répandu dans son corps. On lui avait enlevé un testicule attaqué par une tumeur cancéreuse, mais après un mauvais suivi de la maladie, le cancer s'est propagé jusqu'à former une masse à l'abdomen et des métastases aux poumons.

Sur le coup Pierre-Luc était sur le choc, il avait le vertige mais il n'a pas laissé ce sentiment prendre le dessus. Les premières 30 minutes suivant cette terrible nouvelle, il s'est vu démoralisé, triste et en colère pour avoir perdu sa santé à nouveau.

Il a décidé de totalement changer d'approche et d'aborder cette épreuve comme un défi à relever coûte que coûte. Dès le début, Pierre-Luc était profondément convaincu qu'il allait sortir grandi de cette épreuve. Il se projetait déjà dans l'avenir, après le cancer. Il aime à raconter que la période où il a guéri du cancer fut parmi les pires et les plus beaux moments de sa vie !

« Il m'a fallu cette bataille contre le cancer pour que je puisse retrouver et ressentir la paix intérieure », m'a-t-il confié.

Pierre-Luc a été opéré afin d'enlever ce qui restait du cancer en lui. Cette épreuve lui a fait comprendre qu'il allait arrêter d'espérer sa vie, mais plutôt vivre vers la réalisation de ses rêves ! Sa grande passion du cinéma avait refait surface durant cette épreuve ; n'ayant plus peur de rien, son rêve de devenir producteur de films allait être sa principale motivation.

Pendant sa rétrospection, il a dû faire face à lui-même, faire le point, redéfinir son moi intime et réviser ses espoirs.

« Chacun devrait aller à l'intérieur de ses forces, les laisser s'exprimer et rayonner jusqu'au bout de leur plein potentiel », me disait-il. Il travaille désormais à la préproduction de son premier court-métrage et continue également le développement d'un scénario exceptionnel : « Rire aux larmes », une comédie dramatique librement inspirée de l'épreuve qu'il a vécue !

Pierre-Luc a gardé espoir et jouit maintenant pleinement de la vie.
Il est ici en compagnie de sa sœur et de son enfant.

« Ce ne sont pas les épreuves que nous vivons qui
nous définissent, mais plutôt la manière dont nous
allons les affronter. »

— Pierre-Luc Bougie

Gérer ses émotions

Aux prises avec une émotion envahissante et blessante,
les effets peuvent être variés selon notre attitude à la ressentir,
l'accepter, la vivre ou la refouler.

Les épreuves de vie sont très variées et on peut les vivre
d'une façon émotive d'une intensité différente selon son
cheminement, son équilibre intérieur ou sa vulnérabilité.
Chacun a sa perception, sa vision des choses selon son
éducation intellectuelle et émotionnelle, et les réactions
diffèrent en fonction des blessures et des chagrins.

Les blessures émotionnelles refoulées font leurs ravages et, avec le temps, elles affectent votre façon d'agir et de ressentir l'amour de vous-même et des autres. Un blocage d'émotions inexprimé est comme un barrage hydraulique au centre d'une rivière qui empêche le flot normal de la nature.

Ne pas exprimer vos blessures correctement et se renfermer sur vous-même n'est pas conseillé, car ceci affectera votre équilibre sans contredit. Trop de gens demeurent paralysés par leurs blessures, parce qu'ils ignorent comment gérer leurs émotions sainement. Ne laissez pas vos chagrins vous hanter toute une vie : il est sain de les exprimer pour vous en libérer. Commencez par de toutes petites affirmations à un confident de votre choix et, petit à petit, vous allez apprendre à communiquer votre mal qui changera votre état d'esprit, je vous assure.

Les blessures qui évoquent l'abandon, le rejet, l'humiliation, la trahison et l'injustice semblent par expérience avoir la capacité d'effet réactionnel plus nocive à long terme.

Trop de gens restent prisonniers d'un passé qu'ils radotent constamment en victimes, sans s'apercevoir que cela entretient une émotion bien vivante.

Si vous décortiquez le mot *émotion*, il signifie une énergie vivante en action. Cette énergie passagère normalement se dissipe avec le temps. Votre capacité à comprendre ce que vous ressentez lorsque vous êtes triste, en colère ou autre et surtout votre façon de l'exprimer fera la différence dans la durée de vie du malaise.

Se responsabiliser

Vous avez en partie tout ce que vous désirez dans votre vie et chacune de vos actions ou inactions, chacune de vos paroles ou chaque silence a eu des répercussions très précises dans votre vie jusqu'à ce moment précis. Chaque décision que vous avez prise ou non comporte des conséquences et vous devez en être conscient et l'accepter.

Ne soyez pas de ceux qui tiennent un discours de blâme contre la société, le gouvernement ou vos ex-conjoints pour justifier tous vos malheurs. Ne perdez pas votre part de responsabilité dans la réussite ou la faillite de votre vie, adoptez un discours de responsabilité et mûrissez vos pensées vers le mieux-être. Plus vous adoptez le comportement d'une victime, moins vous allez vous responsabiliser et plus vous allez reproduire vos erreurs.

Au lieu de dire que votre ex-conjoint était jaloux, dites-vous bien que vous l'avez choisi précisément pour être dans votre vie, et pire encore, que vous avez été faible et sans respect pour vous-même pour l'avoir laissé agir ainsi. Oui, c'est à vous que le pardon revient peut être... pardonnez-vous et avancez.

Au lieu de vous dire victime du cancer et de maudire la vie tous les jours, demandez-vous pourquoi vous avez fumé la cigarette au juste. Pourquoi avez-vous vécu sans faire de l'exercice, sachant que ceci est bon pour votre santé? Pourquoi vous nourrir d'aliments trop gras et pleins de cholestérol? On ne peut se plaindre de ce qui est normal aujourd'hui : fumer et mal se nourrir comportent des conséquences que vous devez assumer. Ceci n'arrive pas seul, cessez de vous plaindre.

Au lieu de vous morfonde à pleurer votre divorce ou vos déceptions, essayez de comprendre votre part de responsabilité. Regardez-vous avant de blâmer les autres, vous faites trop souvent partie de l'équation quant à tous vos problèmes, je vous l'assure. À partir d'aujourd'hui, faites la paix avec tout événement qui a été pénible dans votre vie et acceptez votre part de responsabilité. Il n'est jamais trop tard pour l'humilité.

Ne ravalez pas vos émotions

L'émotion, c'est de l'énergie en mouvement, en action. Il est préférable de ne pas emmagasiner les blessures trop longtemps dans votre cœur, mais plutôt de les laisser vivre et circuler. Il est important de comprendre que vous n'êtes pas l'émotion, elle est de passage en vous. La ressentir et l'accepter aidera l'émotion à se dissiper.

Vous êtes aussi malade que les non-dits de votre cœur et vous devez exprimer votre malaise émotionnel en paroles, en pleurs, en écrits et parfois même en cris afin de vous en libérer. Ne gardez jamais d'émotions ni de secrets pénibles trop longtemps en vous sans en parler, car plus de mal que de bien en résulterait, autant sur le plan physique que mental.

Aucune émotion ne doit durer toute une vie, car son effet sur vous risque d'être dévastateur. Engagez-vous à parler de ce qui vous habite à une personne de confiance. Je vous suggère de toujours avoir un ami sur qui vous pouvez compter en tout temps, afin de faire votre ménage intérieur au besoin. Il serait aussi préférable que vous puissiez offrir une belle écoute à votre ami pour l'aider lorsque nécessaire.

Ne prenez jamais une petite émotion à la légère non plus. En effet, on attribue souvent à l'accumulation de plusieurs petites frustrations et de peines l'état dépressif et, dans certains cas extrêmes, les maladies mentales, les divorces et les suicides. Vous n'avez qu'à observer une personne qui n'a jamais pardonné plusieurs petites peines d'amour pour comprendre comment l'accumulation peut paralyser à parti de peurs de tout genre. Malgré son désir d'être aimée, cette personne risque de repousser très longtemps les gens au lieu de se laisser aimer.

Votre mémoire émotive emmagasine vos blessures dans votre inconscient et vous fait parfois réagir contre votre volonté. Lors d'une de mes conférences, j'ai rencontré un vieillard qui me disait se sentir seul toute sa vie et sans importance, même s'il avait été entouré de ses amis et de sa famille tout au long de sa vie. Son sentiment destructeur et pénible de manque d'importance n'était pas lié, en fait, à sa réalité du jour, mais bien à ce que sa mémoire émotive avait emmagasiné dans sa jeune période. Je l'ai incité à parler de son passé et de ce qu'il avait subi, des non-dits qu'il avait sur le cœur depuis très longtemps. Il m'a raconté diverses tristesses, dont une l'avait fait réagir bien davantage. J'ai alors compris que j'avais mis le doigt sur le bobo.

Il m'a raconté en pleurs qu'à l'âge de sept ans, il avait entendu son père ivre lui relater qu'il n'était pas un enfant désiré. Son père lui avait même mentionné en riant qu'il aurait dû se masturber au lieu de l'engendrer comme fils. Sa mémoire émotive avait entretenu cette idée, une hantise qui l'avait suivi depuis l'enfance, même si sa femme et ses enfants l'avaient aimé et apprécié. En somme, il ne se sentait jamais apprécié ni important pour personne.

À le voir verser de chaudes larmes, je savais qu'il avait finalement compris pourquoi ce sentiment d'être traité comme quantité négligeable l'habitait encore, même si ce n'était jamais le cas.

Votre mémoire émotive peut vous trahir très longtemps et vous faire ressentir de fausses peines, même si votre réalité est tout autre. Dans mon cas, j'avais été ridiculisé à l'école pour mes cheveux roux, ce qui m'avait beaucoup complexé : je croyais que je ne serais jamais désirable pour personne. En fait, on se laisse parfois berner par ce qu'on ressent, même si notre vision est fausse.

Permettez-vous de pleurer

Pleurer un bon coup pour se libérer d'une souffrance allège le cœur et redonne un second souffle. Il s'agit pour votre corps d'un moyen naturel et thérapeutique de gérer votre surplus d'émotions. Il vous arrive peut-être à l'occasion de verser quelques larmes de temps à autre, en sachant fort bien que vous en avez encore gros sur le cœur à libérer. Pleurer votre peine jusqu'au bout et même jusqu'à l'épuisement vous aidera à faire le deuil de ce qui vous fait souffrir. Pleurez, oui, pour entreprendre le processus de guérison. N'ayez jamais honte de pleurer afin de soulager votre cœur, peu importe ce que les autres en pensent.

Lors de mes conférences, plusieurs pleurent et libèrent leur trop-plein d'émotions. Ça fait plus de 20 ans que des gens pleurent leur vie devant moi. Il m'arrive de revoir ces mêmes gens dans la rue des années plus tard et ils me disent que cela a changé leur vie. Ils me disent qu'ils ne sont plus les mêmes et qu'ils sont plus réceptifs maintenant, dans le partage de leur amour. Avoir libéré leur émotion leur a permis de vivre le cœur plus léger, pour accéder à un plus grand bonheur.

Faites la paix avec la vérité qui vous habite

Vivre une émotion, cela confirme qu'un mal nous habite. Il est important d'écouter ce mal, de le reconnaître, de l'accepter et de l'exprimer sainement. Le fait de parler de votre émotion à mesure qu'elle fait surface peut réduire ou éliminer votre malaise. Souvent, la clé d'une libération émotionnelle et d'une meilleure santé réside dans toutes ces blessures qu'il vous faudrait exprimer. J'appelle cela la pollution émotive.

Lorsque vous êtes en réaction et en crise d'émotion, faites attention à vos paroles. Un silence peut être autant un signe de sagesse que de faiblesse, à vous d'en juger quand une émotion vous trouble ! Voici d'ailleurs plusieurs exemples de réactions qui vous aideront peut-être à comprendre pourquoi vous réagissez si fortement.

Faites la paix avec vos réactions

Si vous avez été abandonné, c'est peut-être la raison pour laquelle vous êtes jaloux, cherchez à brimer votre conjointe dans son estime et à la priver de sa liberté. Vous craignez un second abandon ou rejet. Si vous avez grandi dans la peur de mourir, surprotégé par une mère dépressive, vous pourrez transmettre la même peur à vos enfants.

Si des parents perfectionnistes vous ont méprisé et dévalorisé, vous serez peut-être aussi dur et exigeant envers vos enfants. Si vous avez grandi au sein d'une famille dysfonctionnelle sans avoir vraiment reçu d'amour et d'affection, vous aurez peut-être de la difficulté à exprimer votre amour en gestes et en paroles.

Si on vous a rejeté, vous pourrez décider à votre tour de rejeter le meilleur des conjoints avant qu'il vous rejette lui-même. Combien de divorces inutiles sont attribuables à cette réaction souvent inconsciente et incomprise ? Faites attention de ne pas repousser de bonnes personnes de votre vie.

Si vous avez vécu une trahison amoureuse, vous éprouverez beaucoup de difficulté à faire confiance à nouveau. D'ailleurs, vivre avec une personne qui doute de votre amour, ce n'est pas facile. Si vous avez déjà été victime d'agressions sexuelles, vous pourrez éprouver énormément de difficulté à vous abandonner lors de relations sexuelles, croyant que le sexe est sale et honteux.

Si vous avez été élevé par un parent trop autoritaire, vous avez sûrement mouillé votre lit étant jeune. Le pire, c'est que plus l'enfant mouille son lit, plus le parent autoritaire s'emporte et crie fort après l'enfant qui perpétue ce cycle. Si vous êtes vous-même un parent autoritaire qui terrorise son enfant, j'espère que cette lecture vous ouvrira les yeux. Combien de gens ont grandi dans les insultes et reproduisent aujourd'hui les mêmes scénarios de reproches continuels, infligeant cette même souffrance à leurs enfants !

La mémoire émotive

Avez-vous déjà remarqué à quel point la mémoire émotive peut vous faire revivre des souvenirs qui y sont gravés depuis plusieurs années, grâce à une simple chanson entendue à la radio ? Vous éprouvez pourtant de la difficulté à vous rappeler ce que vous avez mangé pour dîner, il y a à peine quelques jours. Combien de gens qui manquent de confiance en leur potentiel dans leur vie présente me disent avoir entendu leur père les rabaisser en leur disant : « Tu ne feras jamais rien de bon de ta vie ! »

Écrivez vos émotions sur papier, car ceci constitue un bon moyen de les libérer. Je vous suggère une technique très efficace afin de retrouver votre équilibre intérieur et de libérer votre cœur de tous les blocages possibles. Vous verrez, le résultat pourrait être très révélateur.

Composez une lettre dans laquelle vous exprimez sans retenue vos émotions aux gens qui vous ont blessé. Qu'il s'agisse des parents, de membres de votre famille, d'amis, d'ex-conjoints ou de votre conjoint actuel, prenez le temps qu'il faut et écrivez-leur avec vos tripes sur des feuilles. Laissez couler la souffrance qui vous a peut-être tiraillé pendant des années afin de vous en libérer. Prenez bien soin aussi de ne pas donner ou expédier ces lettres.

Une fois ces lettres terminées, je vous suggère de les lire à haute voix pour obtenir le maximum de soulagement possible. En les lisant, prenez le temps de vous arrêter à chaque émotion qui surgit, pour bien la ressentir et l'accueillir. Sentez-vous un peu comme un vieux meuble qu'on décape et laissez vibrer votre passé enfoui sous plusieurs couches de peinture. Ensuite, en guise de lâcher-prise, brûlez toutes vos lettres et choisissez de tourner enfin la page pour vous-même. Ne demeurez pas esclave d'un passé douloureux.

Il est essentiel d'utiliser de telles techniques afin de prévenir des engueulades inutiles. La prochaine fois que vous croiserez ces personnes à qui vous avez écrit sans qu'elles le sachent, vous serez peut-être surpris de votre état émotif par rapport à elles maintenant. Après une telle lecture et libération, votre cœur sera sûrement soulagé.

Si un jour vous ressentez de la haine envers vous-même, entreprenez ce même atelier de libération et écrivez une lettre à votre intention, dans laquelle vous exprimerez toute la haine que vous nourrissez à votre égard. De petits ateliers comme celui-ci font souvent toute la différence. Avant d'en sous-estimer l'importance, donnez-vous du moins la possibilité d'en faire l'expérience.

Il faut comprendre que l'intelligence émotionnelle n'est pas déterminée par un facteur héréditaire, mais bien par un apprentissage par l'exemple. Si vous avez grandi avec des parents renfermés, il vous faudra redoubler d'efforts pour ne pas être constamment replié sur vous-même, à l'image de vos parents.

Combien de gens en prison aujourd'hui ne sont au fond que des enfants qui n'ont pas eu la chance d'apprendre à s'exprimer? En voulant « geler » leur mal émotif, certains ont commencé à consommer de la drogue. Pour alimenter cette dépendance, et pouvoir se la payer, ils se sont mis à voler et tout s'est enchaîné…

Il est tout aussi important pour vous d'exprimer votre amour que votre mécontentement. N'ayez pas peur d'exprimer votre amour librement par des gestes concrets et des paroles réelles. Et n'ayez pas peur de vous aimer.

Bien communiquer

La communication efficace est primordiale afin d'entretenir des relations saines, car les autres ne peuvent deviner ni vos pensées ni vos émotions. Vous devez apprendre à être direct, à dire les vraies choses, simplement, librement et avec respect. Pour y arriver, il faut d'abord se comprendre soi-même afin d'établir nos sentiments avant de les exprimer clairement. Parler franchement avec son cœur est une bonne habitude de vie à adopter, et l'une des meilleures façons de se faire comprendre et respecter. La communication est ce qui rapproche les gens, les stimule intellectuellement et facilite les rapports entre eux.

Trop de gens parlent pour s'écouter parler et oublient l'importance d'une conversation profonde. Combien de gens excellent à parler de la pluie et du beau temps, à discourir pendant des heures des problèmes des voisins, mais sont incapables de tenir une conversation significative de 10 minutes à simplement parler d'eux-mêmes !

Le degré d'importance et l'attention que tu accordes à une personne sont normalement liés à l'intérêt que tu lui portes. Je rencontre tellement de couples qui me demandent comment se rapprocher l'un de l'autre sur le plan émotionnel, et ma réponse est toujours très simple : PARLEZ-VOUS ! Oui, parlez-vous : entamez des conversations où l'on sent l'intérêt sincère de se connaître davantage.

Le pouvoir des mots/maux

Comme vous ne pouvez rattraper les paroles que vous avez laissé échapper, il est toujours préférable de bien réfléchir avant d'ouvrir la bouche. Ainsi, dans les conflits de couple où les émotions sont à fleur de peau, je vous suggère de ne pas oublier le proverbe qui dit : *Il faut tourner sept fois sa langue dans sa bouche avant de parler* et d'y penser trois fois plutôt qu'une avant de vous exprimer à tort et à travers. C'est parfois le meilleur moyen de ne pas dire n'importe quoi sous l'influence de la colère et d'éviter de blesser autrui en lui lançant des injures. Dans certains cas, le silence vaut pleinement son pesant d'or, car trop souvent les mots peuvent laisser des cicatrices émotionnelles irréparables, même si vous demandez pardon.

D'ailleurs, l'une des causes primordiales du manque d'estime de soi est la dévalorisation personnelle. C'est pourquoi les paroles négatives et méchantes que vous décochez à quelqu'un pour vous défouler et pour donner libre cours à vos frustrations peuvent très bien le paralyser et le laisser à ses peurs. Vos insultes peuvent aussi l'abaisser ou le décourager en lui enlevant sa confiance. En sachant quelle puissante influence vos mots exercent sur les gens, décidez dès maintenant de ne les utiliser que pour leur bien, pour leur remonter le moral, ou pour leur procurer un sentiment d'importance et d'amour. Soyez une personne qui encourage les gens à se dépasser et non le contraire.

CHAPITRE 3

LES FEMMES, LES HOMMES ET LA COMMUNICATION

Vous avez sûrement remarqué que les hommes et les femmes communiquent différemment. À la base, ils sont différents dans le fonctionnement même de leur cerveau. En général, les hommes réfléchissent intérieurement et ensuite communiquent leurs désirs tandis que, plus souvent, les femmes pensent en parlant. En termes de communication, les femmes veulent plus de détails alors que les hommes préfèrent aller plus directement au but. La plupart du temps, lorsqu'une femme demande à un homme s'il veut s'exprimer, c'est habituellement qu'elle-même a besoin de parler.

Lorsqu'ils sont frustrés, les hommes vont lancer des paroles blessantes qu'ils vont souvent regretter, alors que les femmes risquent de ruminer leur souffrance pour quelque temps avant de parler. Une femme qui refuse de parler est souvent une femme triste.

Un manque de communication est maintes fois la cause d'infidélité chez les femmes. Il arrive trop souvent que l'infidélité sexuelle débute par une forme d'infidélité affective, à partir d'une communication qu'on entretient avec quelqu'un qui nous fait du bien, justement pour compenser un manque d'écoute dans la relation amoureuse. Prenez le temps de communiquer ensemble afin de bien bâtir une relation durable et de prévenir de tels tracas.

Soyez à l'écoute

On retrouve sa santé mentale et sa paix intérieure quand on est capable d'écouter des critiques constructives sans être constamment sur la défensive. Plus la critique vous touche ou vous insulte, plus elle est vraie. Si une critique vous blesse, rappelez-vous que l'émotion ressentie est parfois une admission involontaire de la vérité qui vous habite. Voilà donc une occasion d'approfondir ce qui se passe en vous.

Il semble que cela prenne autant d'énergie pour écouter que pour parler. Par exemple, quand on demande quelle direction il faut prendre pour tel trajet et que, sitôt revenu à son automobile, on est aussi perdu qu'avant d'avoir posé la question, cela prouve qu'on n'écoute pas vraiment bien. Lors de nouvelles rencontres ou d'une entrevue, prêtez bien attention au nom de ces nouvelles personnes, afin de le retenir. Soyez à l'écoute des autres afin de favoriser une attention particulière et remarquable.

Pratiquez de l'écoute active en étant attentif à l'autre et efforcez-vous de comprendre aussi son non-verbal et de saisir ses émotions au-delà des mots. Avec une écoute attentive, vos communications en général seront forcément meilleures.

Les complexes

Lors de mes conférences, je demande parfois aux gens qui ne sont pas complexés de se lever debout dans la salle. Le résultat frôle presque toujours les 90 % de l'auditoire, en ce qui a trait aux gens qui n'aiment pas entièrement leur corps.

Nous sommes de plus en plus confrontés à des publicités qui propagent des images de corps quasi parfaits, de sorte qu'on tend à se comparer et à être plus facilement complexé.

De nos jours, la chirurgie esthétique est très populaire. Afin de satisfaire à la demande, on se fait injecter du Botox pour gonfler ses lèvres à la perfection ou pour enlever ses rides du visage, toujours dans le but de se rajeunir. On a aussi recours à la liposuccion, à la chirurgie bariatrique, aux implants mammaires, aux diètes de tout genre, aux implants ou rallonges de cheveux, cils, d'ongles et au blanchiment de nos dents au peroxyde afin de se sentir mieux dans son être.

Ensuite, avec tout ceci en place, on dit vouloir rencontrer une vraie personne sans artifice; c'est ironique, non! À la conquête de l'amour, plusieurs sont axés uniquement sur le paraître plus que sur l'être, ce qui n'aide pas cette pression de vouloir être parfait. Par contre, je trouve cela très drôle lorsque j'entends des propos provenant de certains hommes bedonnants avec une hygiène et une apparence qui laissent à désirer me dire qu'ils cherchent la femme parfaite. Dans ce genre de situation, comment demander ou exiger ce que l'on ne peut offrir? Il faudrait plutôt comprendre que l'amour est avant tout l'acceptation de l'autre tel qu'il est.

Complexes psychiques

Il y a également les complexes psychiques comme ceux liés à notre capacité de résoudre un problème, à notre performance au travail, à notre culture et nos connaissances en général. Combien de professionnels apportent du travail à la maison afin de briller et de se démarquer des collègues, quitte à atteindre l'épuisement au travail!

On peut aussi se sentir inférieur à une classe sociale plus élevée, devant des gens qui réussissent mieux que nous sur une multitude de plans ou dans plusieurs domaines. N'ayez pas peur de vous entourer de gens plus intelligents, plus efficaces et plus riches que vous, car ils partageront leurs connaissances et leurs expériences avec vous.

Combien de femmes à la maison se sentent inférieures aux mères qui travaillent à l'extérieur ! Dans mon cas J'ai eu le privilège d'avoir ma mère à la maison lors de mon enfance et je ne prétendrai jamais qu'une femme au foyer ne travaille pas, soyez-en assuré. Ma mère a gagné son ciel à élever ses cinq enfants et je lui en serai éternellement reconnaissant.

Kathy, ma sœur aînée et moi, à l'âge de trois ans.

Combien de gens moins cultivés dans le domaine des arts et spectacles se sentiront inférieurs dans de grandes activités culturelles ! Je crois que l'important est d'être soi-même et de projeter votre acceptation de soi. Cela fera de vous une personne unique et belle. Soyez vous-même et laissez les autres à leur vie.

J'ai assisté récemment avec mon éditeur à un lancement de livre dans un hôtel très chic de Montréal, le Ritz-Carlton. Ce lancement était pour l'excellente pharmacienne et conférencière Éliane Gamache Latourelle (coauteure avec Marc Fisher de *La Jeune Millionnaire*). La plupart des gens étaient vêtus en veston-cravate pour cette occasion, sauf un homme en jean et t-shirt, affublé de ses nombreux tatouages visibles de tous. Il avait une telle assurance et confiance en lui qu'il en était l'un des plus beaux et remarquables spécimens de la soirée, car il habitait son corps et son être pleinement. Croyez en vous et soyez votre meilleur ami.

Faites la paix avec le paraître, le pouvoir et le matériel

On vit dans une société où les gens se regardent, se comparent, s'imitent entre eux et se jugent les uns les autres assez facilement à leur habillement et à leur apparence. De plus, on se compare selon sa réussite financière, qui nous porte parfois à raconter nos dernières acquisitions matérielles, comme si cela pouvait nous donner de l'importance. Combien de gens vivent au-dessus de leurs moyens simplement pour paraître fortunés aux yeux de leur entourage ! Pourquoi certains dépensent-ils autant d'argent pour un cadeau d'anniversaire quand un moins dispendieux aurait suffi ? L'important n'est-il pas de donner et non de paraître très généreux en donnant un cadeau coûteux ?

Combien de gens s'identifient et se définissent dans le matériel en tout genre et passent à côté de l'essentiel, soit l'amour et le bien-être ! Combien de couples vont aller jusqu'à s'acheter une nouvelle maison en pensant que cela améliorera leur qualité de vie amoureuse ? Ils auront une automobile de marque luxueuse qui ne fait pas honneur à leur budget et vivront un stress supplémentaire dans leur grosse maison qui deviendra la cause de plusieurs disputes, pour ne pas dire de leur faillite. Le matériel est un bonheur éphémère et une illusion de bonheur. On le comprend assez vite le jour où l'on perd sa joie de vivre bien assis dans sa grande maison de luxe.

Aujourd'hui on encourage l'accessibilité au matériel rapidement en repoussant le paiement. Cette mentalité pousse parfois aux dépenses impulsives et irréfléchies. Combien de gens finissent par payer leurs meubles le double du prix coûtant à la fin de leur terme de paiements ! Les problèmes financiers découlent de plusieurs dépressions, d'angoisse et d'insomnie ; alors il vaut mieux en être conscient pour ne pas se placer dans une situation précaire.

On dépense comme on vit pour s'évader et se faire du bien. Lorsqu'on achète un bien matériel, pourquoi ne pas se demander si cet achat est vraiment nécessaire ou s'il résulte d'une simple pulsion impulsive afin de combler un vide ?

Avez-vous remarqué comme il est drôle de voir des gens transférer leurs attitudes et leur identité dans le choix de leur animal domestique ou de leur automobile ? Assurément, on achète un animal et même un véhicule selon sa personnalité. Il est rare de voir une personne de tempérament agressif se balader avec un chihuahua aux allures fragiles et une petite automobile sans puissance. Il choisira plutôt un chien qui inspire la peur par son simple regard et une automobile au moteur puissant.

J'avoue qu'un jour j'ai jugé et rigolé en remarquant une femme trimbaler un petit chien coiffé à la perfection aux poils teints en rose attaché au bout de sa petite chaîne qui semblait faite de diamants. Cette « maître-chien » particulière marchait le dos bien droit, observant si on la regardait avec ses seins remontés, ses lèvres gonflées au Botox, ses ongles en plastique et ses dents blanchies au peroxyde pour aller avec ses cheveux blonds manqués eh – oui! – avec des mèches roses. Mais je juge, je sais. Est-ce seulement moi qui remarque ce genre de choses? Je vous incite à observer davantage les chiens et leur maîtres lors de votre prochaine promenade afin d'en voir la similitude et la ressemblance.

Le marché de la mode est aussi une industrie qui rapporte des millions de dollars par année à des entreprises qui nous vendent des images et des produits en induisant des émotions de bonheur et de plaisir. Elles nous vendent des souliers endossés et portés par des vedettes comme si cela faisait vraiment une différence dans la qualité de la chaussure. Certains enfants préfèrent porter des chaussures de marque plutôt que des souliers confortables. Les enfants dans nos écoles se jugent déjà entre eux simplement par l'habillement. Pourquoi ne pas retourner à la tenue réglementaire dans nos écoles afin d'éliminer cette compétition du paraître qui n'a aucun sens?

Le pouvoir

Combien de politiciens, de membres de groupes criminalisés, de patrons et de gens fortunés aiment vivre dans le pouvoir et l'intimidation! Notre société accorde beaucoup d'importance au statut social. L'argent, le pouvoir et le prestige sont des valeurs qui perdurent malheureusement depuis toujours. Cette question qui revient toujours en premier lieu: « Que fais-tu dans la vie? » Ce qui compose une personne n'est-ce pas plutôt son intégrité, ses valeurs et sa personnalité? Il est si triste de voir des gens ultraperformants fortunés sur le plan financier, mais pauvres de cœur, qui font preuve de snobisme en se croyant supérieurs à la moyenne. La richesse est tout autre chose, je vous l'assure. Étant policier, je suis souvent intervenu dans de grosses maisons luxueuses pour des cas de suicide et de bataille domestique.

C'est alors que j'ai compris que le véritable succès dans la vie est le bonheur. Tout le reste est bien secondaire.

La confiance en soi

La confiance demeure la fondation de votre être. Elle vous procure une paix d'esprit et une quiétude des plus réconfortantes, aptes à mener à de belles et grandes choses. La confiance vous permet de prendre certains risques ; peu importe le résultat, vous allez bien apprendre et bénéficier sans contredit de la situation. La confiance est le contraire de la peur. Les gens confiants avancent dans leur vie et font des actions concrètes pour se réaliser. Les gens confiants sont parfois enviés pour leur force de caractère et leur détermination sans équivoque. Ils dégagent un magnétisme dans leur démarche et dans leurs yeux. Lorsqu'ils entrent dans une salle, leur aura est remarquable.

Faites la paix avec vos diverses peurs et apprenez à vous faire confiance.

Vous augmenterez considérablement votre confiance par tous vos gestes et toutes les décisions que vous oserez prendre pour votre amélioration. Simplement dire non à une personne qui vous méprise ou vous manipule accroît votre confiance en soi. N'oubliez jamais votre valeur et osez...

La confiance dans les autres

La compagnie d'une personne qui nous inspire confiance est tellement précieuse : une richesse inouïe. La confiance se mérite avec le temps, mais peut se perdre pour un rien. Les relations amoureuses, amicales ou d'affaires exigent une pleine confiance réciproque pour être saines, sécurisantes et durables.

Au début d'une relation interpersonnelle, les gens s'offrent leur confiance plus aisément jusqu'à preuve du contraire. C'est plus facile à ce stade de la relation puisqu'il n'y a pas d'antécédents d'injustice ou de trahison susceptibles de nourrir des doutes ou des peurs. Il est vrai que de vivre dans le doute est l'un des pires sentiments. Il a pour effet de nous ronger intérieurement et de nous siphonner beaucoup d'énergie sur le plan mental et physique. Il vous est fortement recommandé de ne pas inciter ou provoquer de doutes inutiles dans vos relations interpersonnelles, car ils détruiront subtilement la confiance, tel un cancer.

Le doute nous garde dans notre tête plutôt que de sonder notre cœur, ce qui atténue éventuellement le sentiment d'amour. Par conséquent, cette crainte peut aller jusqu'à alimenter certains scénarios autodestructeurs, nous laissant ainsi imaginer la pire des situations blessantes présentes ou à venir. Avec le temps, le doute peut se transformer en forme de paranoïa malsaine mais bien vivante, avec la conséquence de détruire inévitablement la confiance et le plaisir dans le couple.

Vivre une relation sans confiance se compare à bâtir une maison sans fondation. Elle sera peut-être belle en apparence, mais restera fragile à la base. Combien de couples alimentés par des peurs et non des réalités, n'ont pas pu faire durer ou maintenir leur amour! Douter est le contraire d'avoir confiance et ce sentiment détruit toutes les relations, sinon les rend insupportables.

De nos jours, il est commun et triste de voir de nombreux couples se séparer péniblement par manque de confiance et non d'amour. Quel regret de briser un lien amoureux lorsque il s'agit parfois d'histoires et de doutes non fondés! Ce qui casse et effrite la confiance le plus souvent et instaure le doute est particulièrement le mensonge. Voilà l'avantage sans contredit d'être transparent et franc au jour le jour avec tous.

Le mensonge est le motif le plus commun de l'anéantissement de l'amour. Il cause des ravages chez les couples d'aujourd'hui et rend les relations des plus instables et insécuritaires. Une personne qui te considère spécial ne risquera jamais de briser un lien de confiance par un mensonge, car elle est consciente qu'elle a trop à perdre.

Sachez qu'il est possible de rencontrer des individus inquiétants qui vous feront vivre de l'instabilité volontairement par leurs actions, leurs paroles, leur attitude et leur nonchalance. Encore pire, certaines personnes en manque d'attention ou d'estime de soi iront jusqu'à s'amuser avec vos sentiments pour vous rendre anxieux et jaloux, dans le but de vérifier si vous tenez encore à elles. C'est très blessant, immature et d'un manque total de respect pour la personne qu'on prétend aimer.

De plus, ce genre de jeu très néfaste atteste un manque de considération pour les sentiments de l'autre. Lorsqu'on aime une personne, on agit en vue de la sécuriser afin de préserver un lien affectif aimant, paisible et durable. Ce n'est jamais de trop, de faire un appel téléphonique afin de sécuriser une personne que l'on aime, en lui souhaitant simplement bonne nuit avec amour.

Je vous souhaite de rencontrer des gens qui puiseront le meilleur de vous-même et non le contraire. Des gens qui vous aimeront sincèrement à votre juste valeur. Vous méritez des relations nourrissantes et non blessantes. Commencez par avoir confiance en vous et augmentez vos chances d'attirer des gens de confiance.

Prendre le temps

Le temps, on ne l'attend pas, on se l'offre et on le prend. C'est un volet de sa vie à prioriser et surtout à contrôler en sa faveur, sinon le jour viendra où, comme plusieurs, vous n'aurez plus de temps pour vous. Si c'est déjà votre cas, soyez conscient que le meilleur temps de vous arrêter et de prendre du temps pour soi est lorsqu'on affirme qu'on n'en a plus. Agissez avec discipline, rigueur et amour pour vous et devenez une priorité plutôt qu'une victime, au travail, de votre succès ou des attentes de votre entourage. Apprenez à dire non aux autres quand vous avez besoin de temps... juste pour vous. Accordez-vous des petits moments, car ils se font rares parfois et savourez votre vie davantage au présent.

Choisir où et comment utiliser votre temps est d'une importance cruciale, à ne jamais sous-estimer. Ne gaspillez pas votre temps pour des gens ou des causes qui ne vous méritent ou ne vous apprécient pas. Ne perdez pas une partie de votre vie dans la prison d'une relation de dépendance affective malsaine, avec une personne ne cherchant qu'à être accommodée ou distraite par votre présence afin de compenser ses manques affectifs ou sexuels. Votre temps à vous est précieux, protégez-le à tout prix.

Soyez engagé dans une relation sérieuse exclusivement par amour, rien de moins. Lorsqu'on se considère en premier, il est plus facile de faire les bons choix pour soi quant à notre temps. Trop de gens passent une partie de leur vie à perdre leur temps dans des situations sans importance, avec des gens qui abusent de leur bonté ou de leur vulnérabilité. Soyez très vigilant avec votre temps, prenez-le en charge et rendez-vous compte de son importance. Je vous assure qu'un jour, lorsqu'il sera temps de quitter cette vie, vous comprendrez l'importance de mes dires. À la fin de votre vie, malgré tous les regrets et pleurs possibles, aucun temps supplémentaire en cadeau ne vous sera accordé.

J'ai déjà accompagné des proches à leur décès et jusqu'ici personne ne m'a dit qu'il aurait dû travailler plus ou aimer moins, c'est plutôt le contraire. Le temps est un cadeau inestimable de la vie et il est bon d'en prendre conscience avant qu'il ne soit trop tard. Plusieurs semblent vivre comme s'ils ne mourraient jamais, inconscients que leur existence parmi leurs proches a une limite. Ils négligent leur temps, le gaspillent à se morfondre dans des situations de vie misérable, sans souci du temps qui passe. Oui, le temps passe et ne se récupère jamais. Aucun argent sur cette terre ne pourra acheter les trois secondes que vous avez prises à lire cette phrase. On a tous une banque de temps des plus précieux qu'on ne doit jamais négliger.

Choisir de consacrer son temps à un amoureux de qualité est une bonne façon d'apprécier davantage sa vie. Le plus beau cadeau que l'on puisse donner à une personne est notre temps, car c'est une partie de notre vie qu'on ne pourra jamais récupérer. Il est plus logique d'offrir du bon temps à des gens qui nous apprécient et nous aiment qu'à ceux qui nous méprisent, nous jugent ou nous envient.

On dit qu'en amour, lorsqu'on est bien accompagné, le temps semble passer plus vite. L'expression « le temps est long » n'est-elle pas exprimée justement pour faire savoir un mécontentement pénible quelconque ? Le temps est précieux, en effet, et le perdre pour des riens est tellement dommage. Pas étonnant qu'on inflige du temps en cellule aux pires criminels en guise de punition. N'est-il pas triste de se savoir confiné dans une cellule pour y écouler sa vie durant plusieurs années irrécupérables ? Plusieurs prisonniers se sachant incapables de maîtriser leur propre temps se suicident en détention, car leur vie a perdu tout son sens. Vivre à perdre son temps est d'une tristesse, n'est-ce pas?

Offrez-vous du temps de qualité afin de remplir votre cœur de bonheur et de doux moments. Accordez aussi à vos proches du bon temps en votre compagnie, en étant attentionné et aimant envers eux : ceci fera toute la différence. Donnez à vos enfants de votre temps et partager avec eux de bons moments mémorables; un jour ils en seront tellement reconnaissants.

L'épuisement professionnel

Le temps est précieux et n'attend personne! Prenez le temps qu'il vous faut, car le temps ne viendra jamais vous chercher. La vie pressée d'aujourd'hui amène bien des gens au bord de l'épuisement. Elle requiert une énergie positive constante sur les plans personnel et professionnel. Répondre à nos propres besoins exige souvent de répondre aussi aux besoins d'autrui, et il n'est pas rare que nous brûlions alors la chandelle par les deux bouts. Si nous en faisions beaucoup moins, nous ressentirions un réel sentiment d'échec.

Il suffit de faire attention : prenez le temps de prendre conscience de votre bien-être physique et psychologique et vérifiez votre emploi du temps, heure par heure, pour y trouver le temps de recharger vos batteries. Nos capacités sont parfois plus limitées que nous aimerions nous l'avouer et il nous est parfois difficile de demander de l'aide. Rappelez-vous que la surproduction n'est pas synonyme de réussite.

Il n'en tient qu'à vous de trouver des solutions réalisables afin de trouver du temps pour vous-même et ainsi de maintenir votre équilibre tant aux plans physique que psychologique.

Vivez le jour aujourd'hui, il vous est donné si précieusement en cadeau, il est à vous... Le passé a fui, le futur est absent, mais le présent est à vous.

Le repos et le sommeil portent conseil

Vous est-il déjà arrivé de vous coucher avec un problème à résoudre et de vous réveiller le lendemain avec une solution ? Comme on dit souvent : *La nuit porte conseil*. Remarquez que normalement, vous êtes toujours plus logique et alerte après une bonne nuit de sommeil.

La fatigue nous empêche parfois de faire preuve de bon jugement. Il serait plus profitable d'attendre d'être bien reposé avant d'avoir des discussions de couple sérieuses. Avez-vous déjà entendu l'expression « Je dors là-dessus » ?

On dit qu'une vie équilibrée devrait se composer de huit heures de travail, huit heures de sommeil et huit heures de loisirs. Le plus important pour notre bonheur est sans contredit les huit heures de sommeil. Notre corps a besoin de récupérer, de régénérer toutes nos cellules tant physiquement que mentalement. Donc, plus nous dormons, plus nos idées et nos décisions seront justes et claires.

On peut passer des mois sans manger, mais pas sans dormir. Le sommeil est tellement essentiel qu'il devient même une arme en situation de guerre. En effet, on ne torture plus l'ennemi aujourd'hui, on l'empêche de dormir pour le faire parler, et cela s'avère très efficace.

Certains n'aiment pas dormir parce qu'ils préfèrent être actifs et le plus productifs possible. Les gens brûlent souvent la chandelle par les deux bouts ; ils s'usent sans s'en rendre compte. Puis, quand un événement surgit dans leur vie, ils réagissent parfois mal parce qu'il ne leur reste pas suffisamment d'énergie pour passer au travers de ces événements. Le sommeil est essentiel à notre équilibre et n'oubliez jamais de vous reposer pleinement.

Les préjugés

Aujourd'hui plus que jamais, on se compare, on s'examine et on se fait une opinion assez rapidement sur une personne, avant même de prendre le temps de la connaître. On base ses opinions sur ce qu'il nous est facile de constater au premier regard, soit l'apparence physique, la façon de s'exprimer ou encore la couleur de la peau. De plus, on utilise également les informations que nous connaissons sur cette personne telles que l'emploi qu'elle occupe et l'auto qu'elle conduit, pour ajouter du poids à notre opinion initiale.

Les jugements sont généralisés, faciles et gratuits. Ils sont une interprétation de ce qui est bien ou mal, basée sur notre système de croyances, notre éducation, nos peurs ou notre ignorance par rapport à ce qui est différent de soi.

Le mot *préjugé* le dit bien, c'est juger avant de connaître. Il est facile de se mentir en adoptant des illusions qui ne sont basées sur aucun fait réel. Souvent, nous adoptons un comportement en fonction de notre éducation et nous jugeons les autres, car ils agissent contrairement à nos croyances. Ces mêmes individus jugés parce qu'ils n'agissent pas conformément à notre filtre personnel nous jugent sûrement immanquablement pour les mêmes raisons.

Deux jumeaux ne réagiront pas toujours de la même manière par rapport à un événement, puisque chacun a son propre vécu. Les liens créés par l'un ne sont pas les mêmes que l'autre. Bien souvent, nos croyances sont générées par notre cerveau en fonction de ce qu'il a remarqué comme étant «bon» ou non. Il est tellement conditionné à juger que le tout peut se faire automatiquement. Essayez d'être à l'écoute des sentiments et des jugements qui apparaissent en vous lorsque vous regardez un individu afin de comprendre comment ceci risque de vous trahir à plusieurs reprises dans votre vie.

On a tous déjà regardé un couple d'amoureux et on s'est demandé comment il était possible que ces deux individus forment un couple. Certains jugeront leur relation en fonction de leur apparence sans se préoccuper de savoir ce qu'ils ressentent l'un pour l'autre. De mon côté, je dois vous avouer que je juge les gens qui fument la cigarette, me disant qu'ils sabotent leur santé pour absolument rien. Je juge aussi les gens paresseux qui temporisent et ne font rien pour s'aider. Je sais que mes jugements sont influencés par mon système de croyances, car la vie des autres ne me regarde pas, mais je suis tout de même porté à les juger et j'en suis conscient. Cet automatisme est en partie basé sur des enseignements que j'ai reçus dans ma jeunesse, m'inculquant de travailler fort et de me tenir loin de la cigarette, si néfaste à ma santé.

Notre éducation et même l'endroit où l'on a grandi peuvent jouer un rôle dans nos jugements. Par expérience, j'ai constaté qu'il y a davantage d'homophobie en région que dans les grandes villes où je donne mes conférences.

Les jugements font partie de notre société depuis toujours. Dans la Bible, même Jésus était jugé par certains qui le suivaient et l'adoraient. Qui n'a jamais jugé n'a jamais vécu selon moi. N'est-il pas hypocrite et très comique de voir de nos jours les jugements dans les différentes religions qui essaient de nous prêcher en même temps d'aimer notre prochain ? Au Moyen-Orient, certaines religions condamnent les femmes à mort pour infidélité alors que l'homme a le droit d'avoir 8 femmes dont certaines de moins de 15 ans. Quelle injustice flagrante !

Aussi loin que je puisse remonter dans le temps, la religion qu'on me disait d'adopter à la petite école jugeait ses adeptes comme elle le fait encore aujourd'hui. Le fait d'être enceinte mais non mariée, c'était mal vu par l'Église. On nous inculquait cette notion. Combien de jeunes filles se sont fait avorter afin d'éviter ce sévère jugement par une religion si peu aimante ! Ces mêmes filles qui se faisaient juger avant l'avortement par le clergé subissaient semblable jugement après coup. Ce clergé si pur et si blanc ne pouvait pas demander de ses adeptes ce qu'il ne pouvait leur offrir, selon moi. *Fais ce qu'on dit et non ce qu'on fait.*

On n'a qu'à discuter du mariage gai aujourd'hui pour entendre les diverses opinions émises, qui suscitent la controverse, autant dans les différents groupes religieux qu'auprès des gens de notre entourage. Le mariage gai concerne pourtant deux êtres qui s'aiment et qui désirent se marier afin de célébrer leur amour. Oui, on a quand même ouvert nos horizons à ce sujet, mais on n'est pas encore rendus au stade de nous accepter totalement dans nos différences, c'est évident.

Une mère m'apprend un jour que son fils est homosexuel et elle veut savoir si je peux l'aider. Je demande alors à la mère si elle est hétérosexuelle et elle me répond que c'est bien le cas. Je lui demande ensuite si « elle » a besoin d'aide quant à son orientation sexuelle. Elle vient de comprendre que l'orientation sexuelle de son fils ne la regarde pas. L'amour, c'est accepter son enfant tel qu'il est, inconditionnellement.

Aux États-Unis, il est reconnu qu'un candidat à la présidence aura davantage de chances de remporter les élections présidentielles grâce à ses croyances religieuses que par sa capacité de bien remplir ses fonctions. En campagne électorale, il est fréquent de voir les candidats à la présidence arriver à l'église avec leur Bible en main, accompagnés de leur épouse qu'ils tiennent par l'autre main afin de recueillir le plus de votes possible. Quel symbole d'hypocrisie et d'ignorance !

Les préjugés n'ont pas de limites quant aux blessures gratuites qu'elles infligent aux gens et nous en subirons les conséquences à notre tour. Vous n'avez qu'à aller vous promener dans les rues avec des tatouages sur les bras afin de mieux comprendre les différents regards qui se poseront sur vous. Une personne tatouée a moins de chances de se trouver un emploi de cadre dans le secteur public, j'en suis convaincu. Oui, il y a des exceptions, mais plus vous êtes tatoué, plus vous limitez vos chances d'emploi. Allez postuler un emploi au service à la clientèle alors que vous êtes tatoué au visage pour le comprendre.

En 1994, j'avais 21 ans, au Collège de police d'Aylmer.

Je n'oublierai jamais l'époque où j'étudiais au collège de police d'Aylmer près de Toronto, où les jugements se propageaient chaque jour. La majorité des nouveaux jeunes policiers exprimaient leur mécontentement contre les gens gais, les individus tatoués aux cheveux longs, les criminels, les gens moins fortunés, les avocats qui défendent les criminels et, à cette époque, ils critiquaient même sévèrement les femmes policières qui étaient minoritaires dans la profession, disant qu'elles étaient incapables d'exercer cet emploi.

Moi, on me jugeait parce que j'étais francophone. Un des seuls francophones. Une minorité sur 375 élèves. J'ai toujours trouvé ça triste de voir plusieurs policiers adopter de drôles d'attitudes et plusieurs peurs quant aux gens qui diffèrent de la norme. Lorsqu'on engage un policier, plusieurs sont choisis pour d'autres aspects que leur savoir-vivre, leur maturité ou leur amabilité.

Quand j'étais un policier mal dans ma peau, je me faisais juger parce que je consommais de l'alcool, et lorsque je me suis pris en main, débordant d'amour pour moi-même et les autres, on me jugeait encore, simplement parce que j'étais différent. J'ai vécu aussi une autre expérience par le passé : j'ai eu une copine de race noire à une certaine époque et je ressentais les regards sur nous en raison de notre différence. Je trouve incroyable qu'on en soit toujours là, au 21ᵉ siècle !

Quelle ignorance lorsque tu vois des policiers se prendre pour d'autres et se croire supérieurs, du fait qu'ils occupent un poste d'autorité. Je crois que ceux qui abusent de leur autorité devraient la perdre, justement. Je dois toutefois mentionner que j'ai aussi rencontré plusieurs bons policiers et policières dans ma carrière, qui étaient de bonnes personnes avant tout.

J'appréciais la réceptivité des gens tristes et blessés lors de certaines interventions, qui acceptaient mes étreintes en guise de réconfort. Merci surtout à l'un de mes confrères de travail, Steven Waite, qui a su toucher plusieurs âmes blessées avec son cœur en or, son écoute et son gros bon sens qu'il utilisait dans ses interventions. Il était juste, vrai, aimable et sincère avec tous : criminels, policiers et monsieur et madame Tout-le-monde. Steven n'avait que de l'amour pour tous. Il nous a quittés à la suite d'un cancer et son départ a été l'une des grandes tristesses de ma vie. Il restera pour moi un exemple de sagesse et d'amour.

Steven et Marc, deux hommes de cœur.

Une femme en consultation m'a avoué que sa vie s'était améliorée du tout au tout depuis qu'elle avait perdu 60 livres (132 kilos) et s'était fait installer des implants mammaires.

Les gens l'abordaient différemment, au restaurant comme au travail. Ils ont changé leur façon de la traiter. Cela lui a permis de rehausser son estime personnelle. Cependant, cela lui a fait voir, par la même occasion, la superficialité abominable du jugement des gens. Elle disait que les hommes la valorisaient davantage maintenant, alors que certaines de ses amies s'étaient mises à la mépriser. La jalousie est aussi un facteur facilitant le jugement, pour ne pas admettre que dans le fond, on envie l'autre. Ce cas-ci le prouve.

N'oubliez pas le phénomène de projection qui explique que les gens qui critiquent les autres parlent souvent d'eux-mêmes; ils voient dans les autres ce qu'ils refusent de voir dans leur propre vie. En fait, les autres leur servent en quelque sorte de miroir.

Faites la paix avec vos jugements et reprogrammez votre cœur à croire qu'on a tous droit au respect et au bonheur. Un cœur en paix ne juge pas.

L'estime de soi

L'estime de soi est l'opinion et l'image que vous avez de vous-même. Une forme d'autoévaluation de votre degré de compétence, d'intelligence, d'importance en tant que personne vis-à-vis de vous-même et des autres. C'est aussi votre évaluation de votre réussite de vie sur tous les plans. Par exemple, certaines personnes ont une bonne estime de soi quant à leur travail, mais une faible estime en amour, ou vice versa. Tout ceci dépend des expériences vécues et de la façon dont les blessures émotives vous ont marqué, voire traumatisé dans certains cas.

Des critiques constantes lors de l'enfance par un parent ou un enseignant peuvent facilement causer une faible estime et des doutes sur soi. Plus on est jeune, fatigué, triste ou blessé, plus on est vulnérable aux paroles des autres. Un parent qui dénigre son enfant est dévastateur sur le plan émotif, car l'enfant a une confiance aveugle en son parent et le croit sur toute la ligne. Cette notion de confiance à l'égard du parent se modifie avec les années, mais d'habitude, le mal est déjà fait.

L'estime de soi est d'une importance cruciale, car elle a un impact majeur sur la majorité des relations interpersonnelles que vous aurez dans votre vie. Savoir que vous êtes une bonne personne aimable, par exemple, vous aidera à rencontrer des gens qui vous aimeront à votre juste valeur, c'est-à-dire comme une bonne personne aimable.

Si vous croyez que votre valeur n'est pas grand-chose, vous allez rencontrer des gens qui vous maltraiteront et vous resterez dans ce genre de relation toxique, croyant que c'est ce que vous méritez selon votre valeur. Trop de gens accordent beaucoup d'importance aux autres et se définissent en fonction de leur regard. Ne laissez personne détruire votre intérieur par des paroles dévalorisantes ou des jugements gratuits et apprenez à exclure ce type de personnes de votre vie.

Moins vous avez d'estime, plus vous chercherez l'approbation des autres avant d'avancer dans vos choix de vie et plus vous serez manipulable. Attention, car certaines personnes iront jusqu'à vous faire sentir coupable pour vous pousser à vous investir dans vos passions, vos études et vos loisirs. Votre simple réalisation en tant que personne épanouie peut déranger certaines personnes, surtout les jaloux qui vous contrôlent déjà. Dites-vous qu'une personne qui vous estime et vous aime devrait toujours vous encourager à réaliser vos rêves et objectifs de vie. Méfiez-vous des gens qui ne sont pas heureux de votre bonheur, car ce ne sont pas de vrais amis.

Lorsqu'on a une belle image de soi, on ne laisse personne nous manipuler, nous envahir ni nous dévaloriser, car l'on se respecte et l'on s'aime. On se prend en charge et on apprend à dire non assez vite. On s'entoure de gens qui nous méritent et qui nous font sentir bien, et non le contraire. Une relation est un choix délibéré. Faites de bons choix, je vous en implore : ceci pourrait améliorer votre vie considérablement.

L'estime est aussi une attitude parfois inconsciente quant à ce que vous pensez en général de vous-même. Certaines personnes sont tellement imprégnées d'une mauvaise image de soi qu'elles parlent en mal d'elles-mêmes. Elles s'autoflagellent en paroles, se traitant de noms vulgaires. Elles laissent tomber un verre d'eau et diront à haute voix : « Regarde ce que j'ai fait : je suis innocente, je suis vraiment moche et je ne fais rien de bien. » Quand votre discours intérieur est rendu à ce stade, cela signifie qu'une personne vous a vraiment dévalorisé et dénigré avant vous.

À partir d'aujourd'hui, faites la paix avec votre manque d'estime et efforcez-vous d'avancer d'un pas ferme ; gardez la tête bien haute. Soyez déterminé à réaliser votre vie comme bon vous semble. Il est important de ne pas vous définir selon votre passé ni vos échecs et de regarder en avant, droit devant ! Plus vous allez réussir, plus vous allez rehausser votre estime de soi et parfois, plus vous allez aussi déranger. En effet, triste réalité, le succès et le bonheur en dérangent certains. Attention de ne pas vous laisser envahir par le négativisme, l'envie ou la jalousie des autres, et dépassez-vous : croyez en vous-même avant tout le monde. Avec le temps, vous aurez une confiance et une estime inébranlables. L'amour de soi, c'est être fier de ce que l'on est, de ce que l'on représente. Ne perdez jamais votre fierté personnelle et soyez fort d'esprit afin de vous réaliser pleinement.

Je vous souhaite de belles rencontres nourrissantes avec de belles personnes sincères, attentionnées, qui ont une admiration réelle pour vous. Vos conversations avec autrui sont de la nourriture pour votre âme, alors faites votre possible afin d'augmenter vos chances pour n'obtenir que du positif. N'oubliez jamais votre valeur et vos désirs de vie et réalisez-les un à la fois.

Voici des conseils pour augmenter votre estime personnelle

- Osez vous affirmer, vous exprimer et dire ce que vous pensez sans filtre.

- Acceptez d'être aimé et apprécié des gens qui vous entourent.

- Entourez-vous de belles et bonnes personnes qui vous encouragent et vous admirent.

- Tenez-vous loin des gens qui vous jugent, qui vous dénigrent et vous envahissent : ce ne sont pas des amis sincères.

- Ne vous rabaissez plus jamais dans votre discours à l'égard de vous-même.

- Demandez le respect des autres quant à vos paroles directes et à votre non-verbal qui démontre une bonne assurance de soi. Donnez une poignée de main ferme, gardez le dos droit et ayez un regard confiant.

- Parlez clairement en regardant les gens dans les yeux et marchez d'un pas ferme.

- Acceptez les compliments mérités et remerciez les gens de leurs paroles.

- Offrez-vous de bons moments dans un spa, au restaurant ou ailleurs ; gâtez-vous.

- Permettez-vous des erreurs et dites-vous que personne n'est parfait.

- Ne nourrissez que de belles pensées vis-à-vis de vous-même.

- Ne laissez jamais personne vous toucher sexuellement si vous n'en avez pas envie.

En agissant ainsi, vous rehausserez votre valeur personnelle en peu de temps, ce qui aura un impact positif et parfois énorme sur votre vie. L'estime qu'on se porte ne doit jamais être ternie par personne et c'est votre responsabilité de vous faire respecter dorénavant.

Les briseurs de couple

Pour vivre une relation de couple saine, vous pourrez peut-être échapper à certains pièges très courants qui risquent à la longue d'affaiblir les liens qui vous unissent à votre conjoint. Voici un petit rappel des mauvaises habitudes que les participants à mes conférences me signalent le plus souvent et qui nuisent à leur vie de couple.

L'indifférence et le manque d'affection

L'indifférence et le manque d'affection sont les plus grandes ennemies du couple. J'ai entendu trop de personnes me dire qu'elles ne se sentaient pas plus spéciales aux yeux de leur conjoint qu'un autre. Je trouve cette constatation terriblement dommageable et désastreuse dans une vie amoureuse. Lorsque le besoin d'affection n'est pas comblé, l'amour s'effrite et disparaît avec le temps.

L'abstinence sexuelle

La sexualité est un besoin et elle est magique dans le rapprochement de deux personnes. L'intimité communique votre amour et l'endorphine relâchée au moment de l'orgasme vous procure un sentiment de bien-être. Aussi le fait de se sentir désiré par son conjoint nous fait sentir important et spécial. Bien sûr, il est normal que votre désir diminue avec le temps, mais il est préférable de ne pas pratiquer une abstinence totale. Refuser toute sexualité avec son conjoint alimente des frustrations et un sentiment de manque d'amour.

Le silence

Le silence est parfois une forme de manipulation qui crée de la frustration. Le manque de communication cause des guerres dans le monde, alors imaginez le potentiel de destruction du silence glacial qui s'installe dans un couple. Ne vous boudez pas dans le silence, car cette attitude éloigne l'amour. S'aimer sans se comprendre est difficile, ne pas pouvoir se le dire et préférer s'enfermer dans un mutisme obstiné engendre à coup sûr une routine de vie ennuyeuse et malsaine.

Le téléphone cellulaire

Quoi de plus «emmerdant» que d'être dans une belle soirée en tête-à-tête avec un conjoint qui entretient une conversation sur son cellulaire devant vous! Cela mine l'ambiance romantique et d'importance qui s'était établie dans votre sortie. Laissez donc votre téléphone éteint en présence de votre conjoint, et privilégiez un temps précieux et unique à deux.

La télévision

Vous laisser tomber sur le divan pour regarder la télévision sans considération ou attention pour votre conjoint est certainement une mauvaise habitude à éviter, car elle empêche trop souvent les partenaires de communiquer entre eux. Avec le temps, ce genre d'échappatoire peut même modifier la belle complicité qui pourrait se créer autrement dans la famille.

Les heures supplémentaires

Il est important de préserver un bon équilibre entre votre travail et votre vie quotidienne. Vous devez préserver du temps précieux à consacrer à vos loisirs en commun, à votre conjoint et à vous-même. Trop travailler affecte inévitablement la qualité de vie du couple et cause de l'ennui sinon des divorces. Ne laissez pas votre travail vous envahir au point de négliger vos enfants. Vous ne devez jamais oublier cette distinction importante entre le fait de réussir dans la vie et de réussir sa vie. Il existe entre les deux une nuance très fondamentale.

L'absence de projets en commun

Former un couple, ce n'est pas seulement affronter le quotidien sans penser au lendemain. Vous devez bâtir conjointement et planifier des projets à court et à long terme. Une vision commune de votre avenir vous donne alors des ailes et l'envie d'aller de l'avant… ensemble !

Le réseau Internet

Je rencontre de plus en plus de couples malheureux qui blâment l'ordinateur à la maison pour leurs querelles et leurs infidélités, quand ce n'est pas carrément leur divorce. Si vous communiquez plus souvent sur Internet que dans votre couple, vous avez sûrement un manque d'intérêt pour la personne qui partage votre vie. Par ricochet, le clavardage en ligne deviendra votre dépendance afin de compenser les manques dans votre relation présente.

L'argent

Vivre au-delà de vos moyens est la meilleure méthode de créer du stress et de l'insécurité financière dans votre relation de couple. Afin de minimiser les problèmes, il serait sans doute préférable de laisser la personne la plus responsable du couple gérer le budget.

Les terrains glissants

On ne sait pas toujours reconnaître ou percevoir quand une situation risque de nous entraîner sur un terrain glissant. Par conséquent, il nous arrive de nous mettre ni plus ni moins les pieds dans les plats assez facilement. Par exemple, c'est un peu dangereux d'accepter une sortie avec votre ancienne flamme, car vos émotions peuvent entrer en jeu et vous mettre à l'envers par rapport à votre relation actuelle. Ce genre de soirée peut facilement devenir une aventure passagère que vous regretteriez. Par ailleurs, au lieu de vous exposer à toutes sortes de tentations qui pourraient se présenter en prenant seul vos vacances, pourquoi ne pas plutôt choisir par amour de partir avec votre conjoint et éviter ainsi les terrains glissants ? Les terrains glissants sont partout, à vous d'en être conscient ou consciente.

CHAPITRE 4

LES QUALITÉS
DES COUPLES HEUREUX

Au cours de mon cheminement personnel, j'ai découvert que les couples heureux possèdent certaines qualités communes que voici :

Ils communiquent tout simplement leurs pensées et leurs sentiments

Ne laissez pas votre conjoint tenter de deviner les émotions qui vous habitent. Une des conditions primordiales au bien-être d'un couple, c'est que chacun des partenaires exprime clairement et franchement ce qu'il pense et ressent intérieurement. Pour y parvenir, vous devez donc être conscient de vos émotions, de ce qui se passe au tréfonds de vous-même, et vous devez trouver les mots exacts pour traduire vos sentiments. Il est toujours plus facile de les révéler quand votre conjoint se montre empathique, sans juger ce qui vous éprouve.

Ils sont authentiques

Les couples heureux sont bien dans leur peau, ils sont vrais, ils sont eux-mêmes. Ils ne cherchent pas à jouer des rôles ou à faire semblant que tout va bien quand ce n'est pas le cas. Ils sont authentiques, ne portent pas de masques, sont honnêtes et transparents l'un envers l'autre

Responsables de leur bonheur, ils se prennent en main

Les couples heureux savent qu'ils sont les seuls responsables de leur bonheur, aussi n'imposent-ils à personne le fardeau de les rendre heureux. Ils comptent sur leurs propres ressources et sur leurs gestes personnels pour jouir d'une relation d'amour épanouie. Ils ne vivent pas de dépendance affective par rapport à leur conjoint, par conséquent ils ne le voient pas comme une béquille sur laquelle s'appuyer qui contribue à leur procurer le bonheur. Ce sont des gens autonomes qui se prennent en main.

Ils vivent le moment présent

Les couples heureux n'attendent pas que le bonheur vienne à eux, ils prennent des mesures et agissent pour le vivre dans l'instant présent. Ils ont compris qu'il faut profiter de la vie aujourd'hui et savoir apprécier en toute simplicité les petits plaisirs de la vie. Quoi de plus agréable qu'un charmant pique-nique improvisé à la bonne franquette par une journée ensoleillée ou une balade en voiture pour découvrir de nouveaux horizons et se remplir le cœur et l'âme des douceurs de la vie ? Pourquoi ne participeriez-vous pas avec votre amoureux à une activité stimulante, tout en faisant d'une journée qui semblait ordinaire au départ un événement extraordinaire ? La vie c'est aujourd'hui, alors profitez-en.

Ils sont passionnés

La passion est une émotion spécialement intense qui, associée à un but, vous permet de garder votre vision malgré les embûches qui parsèment votre route. La passion, c'est ce qui fait la différence entre le rêve et la réalité, car la particularité des passionnés c'est de passer à l'action pour obtenir ce qu'ils désirent. Ne perdez jamais votre regard passionné sur votre conjoint.

Ils savent dédramatiser les événements

Les couples heureux voient les situations problématiques qui surviennent dans leur vie telles qu'elles se présentent et sans les dramatiser. Comme ils ne s'apitoient pas sur leur sort, ils font leur possible pour que ces périodes soient passagères, et ils tirent alors plus facilement leur épingle du jeu. Ils savent dédramatiser et accorder aux circonstances leur importance véritable, sans plus. Si un jour ils vivent une séparation amoureuse eux-mêmes, ils vont comprendre et agir avec maturité.

Ils affrontent la réalité et les problèmes sans se défiler et ils admettent leurs erreurs

Les couples heureux ne décampent pas à la première contrariété. Ils prennent au contraire le temps d'analyser ce qui se passe et d'y faire face. De plus, s'ils remarquent qu'ils n'ont pas eu raison d'agir de telle ou telle façon, ils l'admettent humblement et sans orgueil. Les couples heureux sont d'ailleurs très conscients qu'ils ne sont pas parfaits et ils s'acceptent ainsi. Leur attitude réaliste et humble prévient des problèmes disproportionnés ; ils vivent dans la réalité.

Ils sont positifs

Devant les épreuves de la vie, les couples heureux optent pour une vision positive des événements, peu importe leur gravité. Ont-ils moins de problèmes pour autant ? Non, mais il n'en demeure pas moins que le fait de ne pas se laisser abattre contribue certainement à leur donner une position plus claire et plus optimiste pour relever ces défis. Les couples heureux ont aussi compris qu'il ne sert à rien de ressasser sans cesse un problème, car cela accentue leur émotivité écorchée et les freine alors dans leur évolution. Pour eux, tout problème comporte toujours une solution et ils regardent vers l'avant.

Ils ont des objectifs et des rêves communs

Les couples heureux nourrissent des rêves qui peuvent se concrétiser. Ils agissent et effectuent les efforts nécessaires pour atteindre leurs buts. C'est pourquoi on les entend parler de cette maison à la campagne qu'ils désirent posséder un jour, de leur rêve de voir leurs enfants fréquenter l'université, ou de cette croisière si bien méritée sur un navire de plaisance. Quand ils ont atteint un but, les couples heureux aspirent à en atteindre d'autres. Ils savent apprécier ce qu'ils ont accompli, mais ils se fixent constamment d'autres buts.

Si je devais écrire une recette pour maintenir une relation amoureuse saine, je ne manquerais pas d'ajouter à mes ingrédients de base : l'amour, le plaisir, le désir, la communication, la sexualité, le respect, la confiance, l'honnêteté, l'humilité, l'amitié et un brin d'humour. Pouvez-vous énumérer vos qualités respectives ainsi que cinq des buts communs que vous cherchez à concrétiser dans votre relation de couple ?

L'humour et ses bienfaits

Il est documenté que l'humour favorise la longévité, alors permettez-vous de rire longtemps et souvent dans votre quotidien. Comme le dicton le dit si bien, soyez mort de rire ! L'humour est utilisé pour divertir, communiquer, s'amuser, distraire, faire rire et vivre de bons moments plaisants entre amis. L'humour est l'épice qui procure du plaisir dans la recette du bonheur et, par conséquent, il apaise le stress et favorise la santé mentale et physique. Rire aux éclats procure une énergie exaltante qui alimente un sentiment de bien-être partout dans notre corps, allant jusqu'à aider à la digestion. Il stimule nos endorphines qui agissent tel un antidépresseur naturel et contribuent au bon fonctionnement de notre système immunitaire.

Le rire stimule aussi la sérotonine qui, elle, régularise l'humeur et favorise le sommeil. On dit que rire une heure équivaut à dormir quatre heures. En effet, le rire est si bénéfique que certains médecins en Europe suggèrent comme traitement aux patients déprimés d'assister à des spectacles d'humour. Norman Cousins, un Américain, s'est soigné apparemment d'un cancer par le rire et il a donné par la suite des conférences pour expliquer ce phénomène guérisseur.

L'humour est aussi contagieux et il tisse des liens entre les gens qui le partagent. L'humour a la capacité de marquer d'agréables moments de vie qu'il sera assez facile de se remémorer. Il est rare d'oublier les gens drôles, car ils stimulent en nous un petit plaisir à tout simplement les écouter. Certains ont plus de facilité à se raconter avec humour, j'avoue, mais sachez que l'humour se développe avec une bonne confiance, car on doit risquer parfois de s'exprimer sans retenue.

L'humour et la séduction

Une conversation avec une personne qui détient un bon sens de l'humour est plaisante et normalement spontanée. On dit que ceux qui ont l'humour facile n'ont pas trop de difficulté à rencontrer des gens sur leur route, car le sourire est assez remarquable.

On dit de quelqu'un doté d'un bon sens de l'humour qu'il dispose d'une facilité à séduire, car sa présence seule nous fait du bien au cœur. J'aimerais d'ailleurs vous faire remarquer que les gens qui ont du charme ont souvent aussi un excellent sens de l'humour. De nos jours, quand on parle de compatibilité amoureuse, plusieurs personnes vont rechercher en priorité un bon sens de l'humour chez leur partenaire. Le rire peut contribuer à apporter un plaisir énorme dans un couple et je vous souhaite de vivre cela au moins une fois dans votre vie pour me comprendre.

L'humour rapproche les gens

Un jour, un jeune couple est venu me voir en consultation privée, car il envisageait la séparation. Les deux individus me disaient que depuis la naissance de leur premier enfant, leur vie était maussade et routinière. Je leur ai demandé à quel moment remontait la dernière fois qu'ils avaient ri ensemble, à se tordre vraiment de rire jusqu'à en avoir mal au ventre. Ils m'ont répondu qu'ils n'avaient jamais éprouvé un tel plaisir, car la vie et les responsabilités à assumer étaient trop sérieuses. Je leur ai suggéré de dédramatiser leur existence et de se donner le droit de s'amuser follement ensemble comme de petits enfants. Cette semaine, pourquoi ne pas mettre du plaisir et de la gaieté dans vos relations interpersonnelles ? Autant au bureau qu'à la maison, mettez un brin d'humour sur votre passage.

Henri Rubinstein, un neurologue américain, a dit qu'avec 30 minutes de rigolade quotidienne, on pourrait s'abstenir de prendre de nombreux médicaments. En fait, le rire atténue la douleur et le stress, réveille l'intellect et ravive la libido – ce qui peut être vraiment intéressant pour un couple dont le désir sexuel va un peu au ralenti.

Si les enfants ont beaucoup à apprendre de nous, les adultes, nous aurions avantage à réapprendre à rire d'aussi bon cœur qu'eux. Tellement d'adultes se prennent trop au sérieux et vivent une vie terne. Je vous recommande donc d'ajouter de l'humour dans votre vie et de mettre du piquant dans vos discussions. Permettez-vous de rire et de contempler votre joie de vivre sans retenue.

L'humour dédramatise nos chagrins

L'humour, en fait, nous donne la possibilité de nous adapter socialement à tout genre de personnalité et de groupe. L'humour sert aussi à briser la glace, et nous fait sentir plus à l'aise dans des situations tendues ou des discussions émouvantes avec des étrangers.

Dans mes fonctions de policier, je me suis souvent servi de l'humour à des moments de tension palpable ou lorsqu'il y avait de la discorde. Je me souviens, par contre, d'une époque où j'avais l'humour trop facile avec mon partenaire de travail, ce qui compliquait ma tâche lorsque je devais être sérieux. J'ai dû apprendre à doser mon humour au fil du temps. Pour moi, le meilleur moment pour rire est lorsqu'on ne s'y attend pas. J'ai déjà eu un fou rire incontrôlable durant des funérailles, imaginez-vous donc !

Lors de mes conférences et depuis toujours, j'adore faire rire les gens, car je m'aperçois que de cette façon, je m'amuse davantage sur scène et mon message passe mieux en suscitant davantage l'écoute. Au Québec cette année, on compte plus de 50 humoristes en spectacle dont les billets se vendent partout en province. Ceci confirme bien notre besoin de nous amuser et de nous laisser aller dans l'humour.

Il est bon aussi de ne pas trop se prendre au sérieux et de pratiquer de l'autodérision au besoin. Si l'on est capable de rire de soi par moments, cela nous aidera certainement à dédramatiser certaines situations autrefois pénibles, comme un divorce. C'est plus facile assurément lorsque le pire est passé. Combien de couples se permettent de rire de leurs chicanes amoureuses turbulentes une fois la poussière retombée !

Certains expriment même des tristesses de leur vie de façon humoristique, comme pour détourner leur douleur pour un instant. Ceci nous induit parfois à accepter la réalité et à faciliter l'acceptation de ce qui nous semblait si inhumain.

Je remarque que sans contredit, les gens qui m'ont le plus marqué dans ma vie sont ceux qui avaient un sens de l'humour compatible avec le mien. Avez-vous déjà eu un conjoint avec qui votre complicité en humour suscitait des fous rires à vous donner mal au ventre ? Ce genre de complicité et de plaisir ne s'oublie jamais, je vous assure. L'humour fait tellement de bien que certaines personnes recherchent un conjoint complice en humour.

C'est documenté, les enfants développent leur sens de l'humour en regardant leurs parents agir et se comporter dans les sept premières années de leur vie. L'enfant apprend de cette façon à s'exprimer, et rire de tout cœur lui procure un bien-être considérable. Un enfant peut même rire à s'entendre rire. En revanche, dans ce même groupe d'âge, si le contexte familial laisse à désirer sur le plan de l'humour, l'état d'âme de l'enfant transparaît dans son visage. Avez-vous déjà vu le contraste d'un bébé malheureux ? Il affiche un visage sombre et triste comme s'il n'avait pas le droit de rire et d'être heureux. Vos enfants vous regardent, alors soyez un bon exemple pour eux et n'oubliez pas que l'humour se développe à chaque instant de rigolade.

Certaines personnes émotives ou blessées peuvent se servir de l'humour pour cacher un chagrin profond qui les habite. On fait le clown parfois pour démontrer tout le contraire de ce que l'on ressent. Je ne peux encore concevoir que l'acteur humoristique américain Robin Williams ait mis fin à sa vie de lui-même. Il avait l'air si heureux avec son grand sourire et il ne manquait jamais une chance de faire rire la galerie. Peu importe la raison justifiant une telle action, cela le regarde et je le respecte énormément pour tous les moments de rire qu'il m'a procurés dans ma vie.

L'humour dans vos allocutions

Certains orateurs en manque de confiance peuvent aussi se servir de l'humour pour se mettre à l'aise au début de leur allocution. Le problème est que si la foule ne les trouve pas drôle, l'effet contraire risque de se produire. Souvent, se servir de l'humour juste avant une allocution démontre un manque d'assurance. Je suggère de le faire au besoin, mais seulement une fois que votre témoignage est bien démarré.

Ne vous cachez pas derrière votre humour, regardez les gens et faites-vous confiance.

Par le passé, j'avais cette peur morbide, moi aussi, de parler devant un groupe, mais j'ai compris que le problème provenait de mon enfance, de mes peurs de rejet et de jugement. Ces peurs se sont estompées après une centaine de conférences et j'ai compris que l'important était de faire mon possible et de me faire confiance.

Aujourd'hui, lors de mes conférences, je m'amuse à passer un message percutant et d'amour, et je suis très à l'aise sur scène. Je me permets des allocutions sans rectitude politique, assaisonnées d'un humour parfois sarcastique, parfois réaliste. Bien que parfois je parle de sujets assez profonds, je ne me prends pas trop au sérieux. On me dit que ma conférence est présentée avec tellement d'humour que cela suscite l'écoute et crée un divertissement en parallèle avec la conférence. Avant on me reprochait d'être trop renfermé et aujourd'hui on me reproche d'être trop direct et ouvert sur scène. Il n'y a vraiment pas un sujet que je refuse d'aborder avec confiance. Faire des conférences m'inspirait la peur et c'est devenu une passion que j'adore. J'aime surtout voir les yeux des gens qui s'illuminent en comprenant certains aspects de leur vie, ce qui leur fait du bien.

L'humour qui blesse

Il y a des gens qui se servent de l'humour afin de blesser autrui et qui vont, par la suite, se déculpabiliser en disant qu'*on blesse ceux qu'on aime*. Lorsqu'on aime, on ne blesse pas gratuitement, encore moins devant d'autres personnes. Faites attention à vos propos, s'il vous plaît, car les blessures émotives peuvent durer longtemps. Il y a aussi des gens qui se pensent drôles en exprimant des niaiseries fréquemment dans leur entourage, sous forme d'humour noir sans aucun rapport : cela ne fonctionne pas. Ce mauvais sens de l'humour devient déplaisant à la longue. Si vous êtes souvent la seule personne à rire de vos blagues, alors je parle de vous !

Votre dernier fou rire remonte à quand, selon vous ? Avez-vous des complices en humour dans votre entourage ? Le rire, c'est du sérieux !

En plus du rire, la nature est depuis toujours un lieu de ressourcement incroyable. Prenez le temps de vous y retrouver et de sourire à la vie.

CHAPITRE 5

REPOUSSEZ VOS LIMITES

Repoussez vos limites afin de vous améliorer. C'est toujours gagnant pour atteindre ses buts. Le succès nourrit la confiance qui, elle, attire le succès. C'est un cycle sans fin accessible à tous ceux qui y croient fermement et qui passent à l'action plutôt que de temporiser avec leurs objectifs de vie.

Un grand peintre entame toujours sa toile par un simple coup de pinceau et se fait confiance ensuite pour la direction de son œuvre. Il doit commencer son travail par une action qui semble très anodine et il bâtira avec confiance une toile unique chaque fois.

J'ai toujours dit qu'une bonne action pour soi-même en attirera d'autres, car cela rehausse notre confiance et nous inspire à progresser encore plus chaque fois. Plus on ose, plus on se fait confiance et plus on ose.

Remarquez bien la progression rapide de personnes malheureuses en relation qui décident de divorcer pour enfin se choisir après tant d'années de surplace. Normalement, dans la même année, elles vont changer d'apparence, délaisser certaines amitiés, modifier leur alimentation, leur habillement et leur coiffure. Elles changeront de cercle social, d'emploi, s'inscriront à un centre de conditionnement physique, augmenteront leurs sorties de plaisir, et parfois même déménageront pour un nouveau départ.

Toutes ces actions donneront confiance à la personne et lui feront ressentir qu'elle est maîtresse de sa vie. La confiance se bâtit chaque fois qu'on y va d'une bonne action pour soi-même. Vous êtes l'architecte de votre vie et de votre avenir. Ne laissez jamais personne d'autre que vous en décider. Avancez avec assurance et faites-vous confiance, votre première action pourrait être sans limites.

Faites le bilan de vos rêves et soyez concret dans votre plan d'action pour y arriver. Semez des possibilités tout au long de votre route et ne perdez jamais espoir ni confiance, car c'est l'essence même de la réalisation personnelle de grandes choses.

L'action est plus forte que l'espoir, la passion et même le rêve, car sans elle, rien ne changera pour vous. Lancez-vous dans le vide avec des risques calculés et assumez ce qui suivra. Ne regrettez pas d'avoir toujours cédé à vos peurs.

Soyez conscient que nettoyer l'intérieur de votre domicile quand vous avez de la tristesse est souvent le signe que vous avez besoin de faire du ménage dans votre vie. Le changement est normal, prenez le temps de l'accueillir dans votre existence.

Il y a quelques années, j'étais policier et j'ai décidé de quitter ce métier pour donner des conférences afin de poursuivre ma mission de faire réfléchir les gens sur eux-mêmes. À l'époque, mes confrères m'ont jugé sévèrement et certains m'ont même abandonné comme ami, me croyant plutôt illogique.

Après des milliers de conférences que j'ai offertes à des foules partout sur ma route, j'ai compris qu'il est important de choisir son parcours de vie pour soi avant tout. Ma confiance aujourd'hui relève en partie de mes choix personnels, en fonction de moi, malgré mes peurs et les jugements des autres. Depuis, je n'ai plus l'habitude de trop reculer devant les défis qui se présentent à moi.

Voilà quelque temps, j'ai produit la revue musicale *Beatles Story*, allant à l'encontre des conseils de plusieurs producteurs chevronnés pour lesquels je faisais fausse route. Depuis, ce spectacle a vendu plus de 200 000 billets dans 16 villes et il continue sa tournée à faire danser les adeptes fidèles d'une génération qui a pris de l'âge. Ce premier succès m'a donné confiance en mon potentiel et m'a permis de produire d'autres bons spectacles, entre autres *Les Drôles de Ténors* et *American Story Show*, qui sera vendu partout en province cette année. J'ai compris qu'il faut être dans l'action pour attirer de l'action. Je me suis improvisé producteur de spectacles, car le domaine artistique m'intéressait depuis longtemps. La recette de mon succès fut de m'entourer de gens compétents qui ont su m'apprendre, et je les en remercie tous. Pour rehausser votre confiance, entourez-vous de gens plus compétents que vous : c'est la façon d'apprendre assez vite.

Il est donc important de ne pas s'attarder sur la phase de réflexion et de passer à l'action pour éventuellement atteindre son objectif. Évidemment certains jours les choses se passeront mieux que prévu. Ceci demande une adaptation continuelle.

Il est beau et grand de rêver, certes, mais sans action il n'y aura rien de concret. Osez vous dépasser dans de nouveaux objectifs de vie ; un jour vous comprendrez que c'est seulement dans l'action que nos rêves deviennent réalité.

Cherchez à vous surpasser dans la confiance

Afin d'augmenter votre confiance, exigez plus de vous-même et soyez toujours prêt à vous surpasser et à apprendre afin d'améliorer vos connaissances. Soyez prêt à vous investir totalement et à faire plus que la loi du moindre effort. Vous devez travailler avec une énergie constante et soutenue et ne pas avoir peur d'oser et d'avancer. Ne doutez pas trop souvent de vous-même car cela freine l'élan de la passion. Lorsque vous doutez, posez des questions, informez-vous du meilleur chemin à suivre et soyez ouvert aux conseils des autres, surtout de ceux qui ont réussi à se surpasser.

Plus vous osez, plus il sera possible de vous développer et de continuer votre route : le plus grand voyage commence toujours par un premier pas. Donc, vous ne devez pas demeurer inactif.

Certains se disent incapables de se surpasser alors qu'en réalité, ils en sont parfaitement capables. Leur prétendue incapacité est souvent attribuable à leur paresse, leurs peurs et leur manque de confiance. Pour parvenir à votre réussite, croyez en vous-même intensément.

Si vous accomplissez toujours les mêmes actions, vous récolterez normalement toujours les mêmes résultats. Envisagez fortement de quitter votre zone de confort au besoin et apprivoisez les terrains incertains afin d'approfondir votre expérience. Il est difficile de se surpasser si l'on refuse d'avancer vers le nouveau…

Je reconnais que les gens qui assistent à mes conférences sont à la recherche d'un changement positif sur plusieurs plans et leur succès résulte des actions qu'ils poseront suivant ma conférence. La peur de l'inconnu peut ralentir ce processus et représenter un obstacle valable auquel il faut prêter attention.

La peur paralyse alors que la confiance fait naître de belles possibilités.

Histoire de Geneviève

Geneviève et Marc.

J'aimerais vous parler de l'histoire inspirante de Geneviève Dupaul.

Aussi loin qu'elle se rappelle, elle voulait plaire aux autres pour ne pas déranger, pour se faire aimer. À l'âge de 27 ans, elle se trouve un emploi sécuritaire avec IBM à travailler dans la production à la chaîne. Son emploi lui procure une sécurité avec des avantages sociaux et une belle retraite assurée, ce qui plaît à sa famille. Bien que cet emploi soit payant sur le plan monétaire, il lui déplaisait, car une routine sans véritable contact humain ne lui convenait pas. Elle ne se sentait aucunement épanouie et en était rendue à travailler pour vivre et vivre pour travailler. Le matin, elle quittait son domicile pour aller travailler et elle pleurait en route, ce qui n'était pas vraiment sain. Avec le temps, elle est tombée malade et la dépression a suivi.

Lors de son congé forcé, elle se cherchait intérieurement, car elle était triste et perdue, côté carrière. Ce qui l'animait était le petit plaisir de peindre des toiles et de dessiner sur papier. Geneviève est une artiste-née et sa créativité lui permettait une évasion intérieure qui lui faisait du bien et changeait son mal de place, comme on dit.

Un jour, elle discuta avec un artiste tatoueur qui lui proposa d'apprendre ce métier, qui lui permettrait de vivre de son art, le dessin. Cette personne accepta de lui montrer comment appliquer un tatouage en toute sécurité et, en peu de temps, Geneviève fut animée par sa nouvelle passion. Elle éprouvait davantage de plaisir à dessiner et y puisait un grand bonheur.

Pourtant, elle devait retourner au travail chez IBM et le simple fait d'y penser évoquait en elle des émotions négatives. Mais il lui fallait décider quoi faire : retourner chez IBM avec des avantages sociaux et une sécurité d'emploi ou devenir artiste tatoueuse sans sécurité ni expérience. Elle devait choisir entre sécurité et bonheur. Geneviève a pris un risque et est passée à l'action en développant une entreprise de tatouage.

Aujourd'hui, à 33 ans, Geneviève est l'une des artistes tatoueuses les plus convoitées et sa liste de clients est remplie six mois à l'avance. Elle a su se dépasser et affronter ses peurs par amour pour elle-même. Dans la vie, il faut oser et surtout se faire confiance pour passer à l'action.

Histoire de Dave

Osez demander

Dave, un passionné de musculation.

Depuis toujours, Dave Simard est un adepte passionné de la musculation. Il adore ce sport qu'il pratique à son centre de conditionnement de Boucherville, L'extrême fitness gym.

Dave a toujours admiré Eugen Sandow, de Londres, consacré l'homme le plus fort du monde le 2 novembre 1889. Eugen est considéré aussi comme un des pionniers de la musculation, ce sport devenu des plus populaires de nos jours.

À l'époque de Sandow, il y avait aussi un dénommé Louis Cyr, ce Québécois qui faisait des tournées de villages pour démontrer sa force en soulevant des rochers et des humains sur ses épaules. En janvier 1892, Louis Cyr battit le record de Sandow, qui était un poids de 269 livres (122,01 kg) soulevé d'un seul bras, le mouvement du dévissé. Cyr a réussi à lever 273 livres (123,83 kg) et quart de son bras droit, ce qui l'éleva au rang de l'homme le plus fort du monde. Il fracassa également tous les autres records du temps, dont le sien en projection arrière des bras. La popularité de Louis Cyr, qui persiste aujourd'hui, a donné lieu à la sortie de l'excellent film réalisé par Daniel Roby et mis en scène par Sylvain Guy, créé au Québec et sorti en 2013, *Louis Cyr : L'homme le plus fort du monde.*

Lors de la sortie du film en salle.

Lorsque Dave a appris qu'on allait produire un tel film, il a tout de suite écrit au producteur, lui affirmant qu'il était fait, sans contredit, pour jouer le rôle de Sandow. Dave, qui n'avait jamais joué dans un film, se disait qu'il voulait vivre cette expérience et il a semé cette possibilité en demandant. Il se disait même confiant d'être le candidat retenu : il y croyait déjà. Pour lui, participer à ce film était un réel honneur, étant donné sa passion pour ce sport.

Effectivement Dave a été l'athlète comédien qui a réalisé avec brio l'exploit d'incarner Sandow aux côtés du comédien Antoine Bertrand, son concurrent dans la peau de Louis Cyr.

Dans la peau d'Eugen Sandow, l'homme fort de Londres.

Dave est fier de cette réalisation et il a compris que dans la vie, il faut oser et demander afin de se réaliser. Si tu ne demandes rien, tu n'auras rien !

Qu'avez-vous osé demander dernièrement ?

Je vous suggère de dresser une liste de 10 buts et objectifs que vous aimeriez atteindre dans votre vie à court et à long terme. Se fixer des buts est la première étape pour les concrétiser.

Les dépendances

Il est bien de s'aimer et d'être branché sur l'intérieur afin de minimiser les risques de s'évader dans toutes sortes de dépendances. On vit dans une société où les évasions sont omniprésentes, au point de les banaliser. Une des caractéristiques qu'on retrouve chez l'individu dépendant est sa difficulté ou son refus de vivre une situation inconfortable. Comme un enfant qui ne peut supporter sa faim en réagissant instantanément afin d'assouvir son malaise, l'être dépendant se tournera vers la dépendance de son choix, la plus accessible. Un dépendant en crise devient fragile assez rapidement sur le plan émotif et une simple déception peut se révéler le début d'une longue route tordue, semée de tumultueuses rechutes.

Une des dépendances les plus courantes de nos jours est l'affection. Bien qu'elle puisse sembler à première vue peu nocive comparativement à d'autres dépendances telles que la drogue, elle est trop souvent la cause qui suscite et alimente l'évasion vers les drogues. Cette réalité est aussi fréquente pour plusieurs autres dépendances : au jeu, aux médicaments, à l'alcool, au sexe, à la nourriture et aux achats compulsifs.

Le manque d'affection d'une personne est subtil et parfois même indétectable. Ce manque peut rester enfoui dans l'inconscient à tout jamais et inciter le dépendant à chercher l'amour partout où il passe, même dans les pires conditions. Il est plus facile de s'apercevoir qu'on est en présence d'un dépendant affectif lorsqu'on constate ses actions constantes pour se faire aimer, pour plaire, être désiré et apprécié de tous. Les dépendants affectifs supportent rarement la solitude, car cela leur procure un sentiment de vide intérieur qui éveille des peurs déjà bien ancrées en eux.

Il est commun de voir des gens en manque d'affection se tourner vers d'autres dépendances afin d'apaiser leur mal. Certains peuvent même patauger dans plusieurs autres évasions interreliées d'une façon ou d'une autre. Il est courant de voir des alcooliques qui sont en même temps dépendants affectifs, ne sachant pas que leur manque d'affection les pousse à consommer. Ils sont souvent issus de familles dysfonctionnelles et ont grandi en carence d'amour.

Vous n'avez qu'à parler à un alcoolique de son enfance pour constater assez vite ses lacunes quant à l'amour et à l'attention qu'il a manquée de ses parents. Je ne prétends pas que tout alcoolique a eu des parents peu aimants, mais que cette situation est un symptôme fréquent de nos jours.

L'absence d'un parent qui a trop travaillé ou qui a divorcé alors que l'enfant était jeune est aussi une des causes des plus communes de la dépendance affective. Un enfant en carence affective devient un adulte à la recherche de l'amour et, trop souvent, il sera porté à compenser son manque dans l'une des nombreuses dépendances analysées ci-dessous.

Dépendance à la nourriture

Actuellement, plusieurs personnes sont aux prises avec un trouble d'alimentation compulsif, et elles se comportent avec la nourriture de la même façon qu'un alcoolique agit avec l'alcool. Elles mangent comme si elles essayaient de camoufler une émotion intérieure mal gérée. Elles ont des faims violentes et pressantes en dehors des heures de repas, le jour comme la nuit. Il leur arrive même de manger en cachette, car elles ont honte de leur problème, tout comme l'alcoolique encore une fois.

Après avoir trop mangé, ces personnes se sentent coupables, sachant très bien qu'elles vont prendre d'autres kilos, ce qui les porte paradoxalement à manger davantage. Ce cercle vicieux peut continuer pendant toute une vie et les rendre très malheureuses dans leur peau. J'ai toujours pensé qu'un bon titre de livre à leur intention pourrait être : *Pardonner pour enfin maigrir.* Je crois que certains individus obèses recèlent une blessure très profonde : un abus sexuel, un énorme manque d'amour, un abandon ou un traumatisme de l'enfance. Je ne parle pas des gens qui ont des problèmes de nature médicale avec leurs glandes.

Pour certains, la nourriture apporte un certain réconfort, je vous l'accorde, mais à quel prix ! Pour le mangeur compulsif, la nourriture est sa drogue socialement acceptable et si facilement disponible au marché d'alimentation. La nourriture devrait être notre amie et non pas le contraire.

Dernièrement, on m'a demandé de faire une conférence auprès d'un groupe de soutien qui aide des gens aux prises avec un surplus de poids. Malgré que je leur aie suggéré de choisir de meilleures et saines combinaisons alimentaires, j'ai plutôt privilégié leur manque d'affection et d'amour dans mon discours. Je peux vous confirmer que cet aspect a fait grandement réagir le groupe, au point où plusieurs de ses membres ont pleuré. Mon témoignage visait à leur faire prendre conscience de l'origine de leur surplus de poids, liée en partie à leur manque affectif.

Lorsqu'on mange sans avoir faim mais pour se gaver, le problème est parfois tout autre que de la gourmandise. Les gens aux prises avec un surplus de poids vont très souvent se nourrir pour éviter de ressentir un ennui, une solitude, une peine, une déception ou une colère. Avoir une rage de sucre peut donner un indice qu'il serait préférable de vous aimer.

À titre d'information, le sucre crée aisément une habitude difficile à combattre : il se compare à la cocaïne pour le degré de difficulté à atteindre l'abstinence. Essayez de couper tout sucre pour une semaine et vous comprendrez assez vite lorsque votre corps commencera à trembler. Avez-vous remarqué que les gens qui ont une dent sucrée avec un surplus de poids ont presque toujours une histoire triste bien enfouie dans leur mémoire émotive ?

Il est aussi à noter qu'on dit que les gens insatisfaits sexuellement compensent avec du chocolat et beaucoup de café, car ils recherchent inconsciemment un excitant naturel. C'est un processus bien inconscient, mais je vous mets au défi de l'observer par vous-même dans votre entourage, pour en dénicher la preuve. Les coïncidences sont assez troublantes.

Lorsque le travail devient une dépendance

Le bourreau de travail se sent obligé de consacrer de plus en plus de temps et d'énergie à son travail au détriment de sa vie personnelle et familiale. Le « drogué du travail » a pour centre de son univers son ouvrage et il éprouve de la difficulté à ne plus penser aux travaux domestiques à accomplir, une fois chez lui.

Il est parfois incapable de s'amuser en dehors des heures de travail. Il y a ici une différence à faire entre les gens responsables, déterminés et audacieux de nature, et ceux qui manquent d'estime personnelle et qui veulent se valoriser grâce à leur emploi, afin de plaire constamment aux autres. Il ne faut pas se définir selon son travail. Réservez-vous toujours du temps en dehors de vos heures de bureau pour vous seul. Votre travail n'est pas votre vie, alors attention aux excès.

La cyberdépendance

Cette dépendance est associée à l'usage excessif et persistant du réseau Internet, des réseaux sociaux ou autres moyens de communication, comme les textos par le biais des téléphones intelligents.

Aujourd'hui il y a tellement de gens cyberdépendants : c'est devenu un fléau dans notre société et la cause de plusieurs ennuis, de sentiments de rejet, sans oublier de plusieurs accidents de la route. Combien d'enfants manquent d'attention et d'amour de leurs parents, car ceux-ci sont trop occupés à répondre à leurs messages textes ? Ils naviguent parmi les réseaux sociaux en tout genre, comme s'il fallait procéder à tout prix dès qu'ils entendent la sonnerie d'un message entrant.

Sachant que leur comportement excessif en dérange plusieurs autour d'eux. Ils iront même jusqu'à se cacher dans la salle de bain pour répondre à leurs messages et assouvir leur dépendance. On a banni l'usage des cigarettes dans les restaurants et ceci est une bonne chose, mais maintenant, irons-nous jusqu'à interdire l'usage des cellulaires ? Quand va-t-on inventer un appareil pouvant empêcher toute onde transmise par les cellulaires dans certains endroits publics tels que les cinémas et les restaurants ?

Les cyberdépendants sont de très mauvaise compagnie au repas ou en groupe, car ils naviguent sur Internet devant tous comme si c'était normal. Ils ne peuvent pas maintenir une conversation fluide, car leur attention est ailleurs. Ils se nourrissent de trois conversations virtuelles en même temps, mais ils oublient la plus importante, avec la ou les personnes physiquement présentes. Combien de relations amoureuses sont gâchées et ennuyeuses à cause de la cyberdépendance?

J'avoue avoir déjà été victime de ceci des deux bords et ce n'est pas plaisant du tout. J'ai pris la résolution de laisser mon cellulaire fermé dans de telles circonstances ou à la maison, lorsque je veux consacrer mon temps à la famille et non au travail ou aux loisirs. Ceci m'aide à apprécier ma journée davantage et diminue mon stress de répondre à mes messages. Vous n'avez qu'à essayer ma méthode une fois pour l'adopter : soyez libre de votre propre temps de qualité.

On peut constater notre degré de cyberdépendance lorsqu'on s'abstient de se servir de notre cellulaire pour une journée seulement. Je vous lance ce défi dans les prochains jours, afin de pouvoir constater combien vous vous absorbez dans ce monde virtuel au quotidien.

Il y a aussi l'infidélité virtuelle, un phénomène nouveau puisque plusieurs maintiennent des liens technologiques avec leurs ex-conjoints en les gardant par la force des choses toujours présents dans leurs pensées, leurs discussions et leur vie. Étant incapable de lâcher prise, vous risquez de vous aventurer sur un terrain glissant, et des conflits dans votre couple en découleront éventuellement.

~~~~~~~~~~~~~~~~~~~~~~~~

Test pour savoir si vous êtes cyberdépendant
(répondez par vrai ou faux sur une feuille)

- Je ne peux passer cinq heures dans ma journée sans vérifier mes messages virtuels.

- Je sens que je dois répondre instantanément à mes messages à mesure qu'ils entrent.

- Je ne vois pas le temps passer lorsque je suis en ligne sur Internet ou sur des réseaux sociaux.
- J'ai plus de conversations intimes avec des gens virtuels que dans ma vraie vie.
- J'ai plus d'amis virtuels que dans ma vraie vie.
- Ma famille se plaint que je suis excessif dans Internet ou les réseaux sociaux.
- Parfois j'oublie de me nourrir à cause de mon usage excessif d'Internet ou des réseaux sociaux.
- Je me couche tard parfois à cause de mon usage excessif d'Internet ou des réseaux sociaux.
- Je néglige ma famille à cause de mon usage excessif d'Internet ou des réseaux sociaux.
- Parfois je me cache pour aller en ligne, sachant que cet usage excessif dérange mes proches.
- Quand j'arrive à la maison, j'allume mon ordinateur automatiquement.
- Lorsque je m'ennuie, je fuis sur Internet ou les réseaux sociaux.
- J'ai déjà rencontré l'amour à plusieurs reprises sur les réseaux sociaux.
- Lorsque je suis au restaurant ou dans une soirée avec des amis, je vais à la salle de bain vérifier mes messages.
- Je conduis mon automobile en vérifiant mes messages virtuels.
- Je vais aux toilettes avec mon téléphone intelligent (ordiphone) pour regarder les activités virtuelles.
- Si je dois partir en vacances, je m'inquiète de perdre l'accès à mes messages là-bas.

Résultat du test

Si vous avez répondu vrai à plus de quatre questions, vous êtes cyberdépendant.

Si vous avez répondu vrai à plus de six questions, vous êtes cyberdépendant chronique.

Si vous avez répondu oui à toutes les questions, je vous suggère l'abstinence pour un certain temps afin de vous rétablir de cette dépendance. Vos proches doivent sûrement en souffrir et il serait grand temps d'évaluer vos priorités de vie.

La dépendance au jeu

De nos jours, le jeu est de plus en plus associé à plusieurs divorces et à des problèmes familiaux. Personne n'est à l'abri de cette dépendance qui peut s'installer en vous assez facilement. On dit que les gens déjà dépendants à une substance telle que la cigarette, la boisson ou la drogue courent plus de risques de devenir dépendants aux jeux de hasard et à l'argent. Cette dépendance se propage comme une épidémie silencieuse et l'on peut constater que plusieurs joueurs pathologiques sont déjà aux prises avec d'autres problèmes parallèles qui les rendent des plus vulnérables à cette dépendance. Ils vivent des divorces, de la solitude, des problèmes financiers, de santé et personnels, ce qui augmente les possibilités de perdre contact avec la réalité.

Avant, le jeu était fréquemment lié à une sortie sociable au casino comme un souper ou s'amuser entre amis. Aujourd'hui, cette dépendance peut être pratiquée en ligne sur Internet dans la solitude de sa maison et isolé loin de tous. Que dire aussi de ces endroits publics où l'on permet les machines à poker ? Avez-vous déjà remarqué le visage vide des gens qui entrent dans de tels restaurants où le jeu est permis afin d'y miser leur argent ? Certains sont comme des morts-vivants déconnectés de la réalité. Ils ont un seul but, satisfaire leur dépendance et jouer. Parfois ils sont tellement pris par le jeu qu'ils oublient de se nourrir ou même d'aller aux toilettes. J'ai déjà parlé à un employé du casino qui m'expliquait que certaines personnes arrivent même vêtues d'une couche pour adulte pour ne pas avoir à quitter leur machine à jeu en aucun temps, croyant ainsi qu'elle paiera éventuellement.

En date du 31 mars 2014, Loto-Québec a versé au gouvernement 311 millions de dollars à la lutte contre le jeu pathologique, ce qui démontre l'ampleur du phénomène actuel. Le jeu est l'une des causes de plusieurs divorces et dépressions de nos jours, et de beaucoup de suicides.

Le jeu devient malsain lorsque la dépendance s'installe et que l'abstinence devient impossible à atteindre. Vous négligez votre famille, vos activités, vos responsabilités, votre travail au point de tout perdre éventuellement. Le joueur compulsif retourne au jeu, espérant se refaire financièrement. Il ressent des hauts exaltants, croyant qu'il est près de gagner cette fois-ci, mais il finit plus souvent qu'autrement par subir des bas très pénibles, notamment lorsqu'il réalise qu'il perd tout. Ironiquement, le joueur croit sincèrement qu'il peut contrôler le hasard quand, en réalité, il y est totalement impuissant. L'appât du gain n'aide pas et il est prouvé que le souvenir d'un gain reste dans la mémoire plus longtemps que celui d'une perte. Le fait de gagner quelquefois lui procure une euphorie qu'il souhaite reproduire à maintes et maintes reprises.

En temps normal un dépendant au jeu ne peut pas se permettre de perdre de l'argent, car ses finances sont déjà en souffrance et c'est souvent sa famille qui en subit les conséquences. Cette dépendance conduira le joueur à l'isolement, à la honte, à des problèmes financiers accrus et, parfois hélas, au suicide. Le jeu n'est qu'un jeu, attention de ne pas en perdre le sens de la réalité. Une petite combinaison de 6/49 avec ça?

Entretenir dans votre esprit l'espoir que la chance tournera finalement en votre faveur est la première étape pouvant vous entraîner dans la dépendance au jeu. Le principe du jeu est que le perdant est presque toujours le client.

Voici un test pour savoir si vous êtes dépendant au jeu :

- Êtes vous tenaillé par l'envie d'aller jouer?
- Avez-vous besoin de jouer pour atteindre un état d'excitation émotive?
- Faites-vous des efforts répétés, sans succès, pour maîtriser, réduire ou arrêter le jeu?
- Jouez-vous pour échapper aux difficultés de la vie?
- Retournez-vous au jeu avec l'intention de regagner l'argent perdu?
- Vous arrive-t-il de mentir à votre famille pour dissimuler votre problème de jeu?
- Avez-vous déjà commis des actes illégaux pour financer votre soif du jeu?
- Votre relation amoureuse, votre emploi ou vos études sont-ils instables à cause du jeu?
- Vous êtes-vous déjà senti désespéré à cause du jeu?
- Avez-vous honte de vous-même en raison de pertes considérables?

- Avez-vous des pensées suicidaires attribuables à des pertes excessives ?
- Vous croyez-vous plus intelligent que la machine à sous ou son mode de paiement ?
- Banalisez-vous votre dépendance en disant que ce n'est que de l'argent ?

Si vous avez répondu par l'affirmative à trois des questions ci-dessus, il est probable que vous ayez une dépendance au jeu. Si vous avez répondu oui à cinq réponses, je vous suggère de consulter à ce sujet et d'aller chercher de l'aide pour cette dépendance.

La dépendance à l'alcool

La dépendance à l'alcool est très courante aujourd'hui, pour ne pas dire un mode de vie. La consommation est vue dans notre société comme un petit plaisir socialement acceptable dont plusieurs dépendent. Cette habitude ne vient pas forcément de l'hérédité. Dans plusieurs cas, ce sont les comportements du consommateur qui semblent à l'origine de cette problématique. Un enfant qui grandit avec un parent qui s'évade dans l'alcool pour geler sa tristesse en fera probablement tout autant un jour ou l'autre. Le parent enseigne à ses enfants ce comportement de survie à fuir la réalité chaque fois qu'il vit un événement pénible.

Je dois aussi noter que le simple amour inconditionnel pour son parent le porte parfois à l'imiter pour lui plaire et pour obtenir son amour et son approbation. Combien de gens m'ont avoué avoir ce réflexe, étant jeune, de vouloir consommer de la bière tout comme leur père malgré un goût peu intéressant pour eux !

Un alcoolique ne consomme pas simplement lorsqu'il est triste ou en colère, mais aussi dans des moments de joie. Comprenez bien que le fait de boire n'est en réalité qu'une partie du problème, car la plus grande part a trait aux émotions mal gérées.

L'alcoolisme est responsable de plus de 50 000 décès par année et constitue la deuxième cause inévitable de décès après le tabac. On se rend compte qu'on est dépendant de la boisson lorsqu'on essaye de s'en passer pour un certain temps et que ceci s'avère difficile, voire impossible. L'alcoolique doit consommer de plus en plus d'alcool pour ressentir le même effet, car son corps bâtit une tolérance qui entraîne une surconsommation exagérée au quotidien. Dans les pires cas, ceci peut amener l'alcoolique dans un coma pouvant entraîner la mort.

Chez la femme alcoolique, les docteurs excluent l'alcool tout au long de la grossesse et de l'allaitement, pour ne pas causer de torts physiques à l'enfant. Ce simple fait en dit gros sur les dommages attribuables à l'alcool. Cette dépendance s'installe lentement mais sûrement, et les répercussions ne sont pas évidentes. L'usager risque de développer plusieurs pathologies telles que le cancer, les maladies du foie et cardiaques, des troubles du pancréas, du côlon, du système nerveux, aussi bien que des troubles psychiques tels que la dépression, l'anxiété et un comportement perturbateur ou déplacé. On ne devrait pas oublier tous les accidents de la route mortels causés par une personne ivre au volant.

S'avouer alcoolique est encore tabou de nos jours et plusieurs éprouvent de la honte à s'afficher ainsi. Si vous avez un problème d'alcool, je vous suggère fortement de visiter le mouvement des Alcooliques Anonymes de votre région et de prendre conscience que vous n'êtes pas le seul à vivre avec ce genre de dépendance, si répandu dans le monde.

Lors de mes conférences, j'ai rencontré plusieurs individus visiblement dépressifs et tristes, mais ne sachant pas pourquoi. Après quelques consultations en privé, il était facile de comprendre que ces gens sont aux prises avec une dépendance à l'alcool, malgré leur déni. Un alcoolique en déni n'est pas prêt à s'aider et lui faire comprendre le contraire est souvent peine perdue.

Tellement d'alcooliques banalisent leur dépendance par incapacité d'avouer leur problème en vertu de la honte d'avoir perdu la maîtrise de leur vie. Il est à noter que l'alcool est un déstabilisateur d'humeur pouvant instaurer chez le dépendant des changements émotifs assez drastiques. Ceci explique pourquoi vivre avec une personne alcoolique n'est pas trop plaisant, puisque son humeur peut changer à l'image des montagnes russes.

Une des caractéristiques d'un individu alcoolique est sa résistance et sa réticence à admettre ses torts. Parfois sa consommation est si pathétique qu'il brisera sa famille par ses propres paroles et actions, mais il blâmera souvent les autres pour son divorce. Dans plusieurs cas et même après deux ou trois séparations pénibles consécutives, il restera immature et inconscient de tout tort qu'il a causé aux personnes qu'il jure aimer. Il va toutes les blesser aussi souvent qu'il leur demandera pardon, sans pour autant régler la source de son problème. À l'intérieur d'une relation amoureuse, l'alcoolique peut même blâmer sa conjointe pour son propre problème lié à l'alcool.

Il pourrait ensuite radoter pour des années à venir qu'il peut arrêter sa consommation instantanément, mais il le fera rarement sous prétexte que la consommation est bonne pour la santé. Il se vantera qu'il peut consommer socialement sans problème, malgré ses inconduites, miné par la honte d'être malade et blessant devant ses proches.

Son ivresse mentale le portera à penser subtilement en fonction de l'alcool. Il n'ira que dans des restaurants où l'on sert de la boisson alcoolisée et il visitera des amis de consommation pour se déresponsabiliser. Il dira qu'un bon mets italien doit être accompagné de vin et qu'il ne peut refuser une bière offerte par ses amis par respect pour ceux-ci. Toutes les excuses du monde sont bonnes pour justifier sa consommation. L'alcoolique a aussi tendance à accorder plus d'amour et d'attention aux étrangers qu'à sa propre famille.

On peut le constater parfois lors des rencontres entre alcooliques qui s'étreignent et fraternisent plus intensément qu'ils le font avec leurs propres enfants. Certains alcooliques s'identifient tellement à cette maladie qu'ils sont fiers de l'avouer à tous, comme s'ils faisaient maintenant partie d'une nouvelle religion. Attention, car s'identifier intensément à la maladie comporte des risques de se l'approprier très longtemps.

Il est aussi important de ne pas évaluer son succès de vie par rapport à cette dépendance selon les années de sobriété, car même après 20 années de sobriété, certains ont gardé les mêmes comportements malsains, s'ils n'ont pas empiré. Arrêter de consommer ne garantit nullement qu'on devienne automatiquement une bonne personne.

En effet, la capacité de s'abstenir de consommer nécessite parfois beaucoup de courage et de discipline. Je félicite toute personne aux prises avec cette maladie d'avoir réussi un tel exploit. Je vous souhaite par contre d'avoir un mode de vie sain impliquant l'amour, le respect et la famille afin de reprendre la maîtrise de votre vie entière. On dit qu'un alcoolique dans sa maladie blesse directement et indirectement 25 personnes par année s'il n'est pas en contrôle de ses émotions. Ceci confirme que la boisson à elle seule n'est pas le problème entier et qu'un travail sur les émotions est fortement suggéré.

L'alcool n'est pas la racine du problème, mais le symptôme. Les problèmes remontent souvent très loin et une psychothérapie intense doit permettre d'en trouver les causes, car l'abstinence s'avère trop souvent temporaire et pénible. Un enfant m'a déjà avoué qu'il préférait son père saoul et heureux qu'abstinent et agressif. Soyez ouvert à vous aider profondément et sondez votre cœur : vous êtes aussi malade que les non-dits l'indiquent. Il est important d'admettre son alcoolisme, mais il est encore plus important de connaître les raisons cachées derrière une consommation exagérée.

On est alcoolique non pas à cause de la quantité de boisson consommée, mais de la raison qui motive la consommation. Pour vérifier si vous êtes alcoolique, je vous suggère de répondre humblement au test qui suit.

Test pour savoir si vous êtes alcoolique

Le questionnaire ci-après est inspiré de celui des Alcooliques Anonymes. Répondez par oui ou non sur une feuille de papier ou dans votre journal intime.

- Avez-vous déjà pris la résolution de cesser de boire pendant environ une semaine pour l'abandonner après seulement quelques jours ?

- Avez-vous déjà consommé de l'alcool pour vous désennuyer ?

- Êtes-vous déjà passé d'une boisson alcoolisée à une autre dans l'espoir de vous enivrer ?

- Au cours de cette année, avez-vous pris un verre le matin ?

- Enviez-vous les personnes qui peuvent boire sans s'attirer de problèmes?

- Au cours de la dernière année, l'alcool vous a-t-il causé des ennuis?

- Votre façon de boire a-t-elle entraîné des problèmes familiaux?

- Consommez-vous de la boisson pour «geler» votre mal intérieur?

- Continuez-vous d'affirmer que vous pouvez cesser de boire uniquement à force de volonté, même si vous continuez de vous enivrer?

- L'alcool est-il une cause d'absentéisme au travail?

- Avez-vous déjà eu des trous de mémoire?

- Avez-vous déjà pressenti que votre vie serait mieux et plus stable sans alcool?

Si vous obtenez trois «oui» et plus dans vos réponses, vous pouvez vous considérer comme un alcoolique. À vous de prendre les décisions qui vous conviennent si vous souhaitez y remédier.

La codépendance

La codépendance est un ensemble de comportements que vivent les proches de l'alcoolique, soit sa famille immédiate, ses amis, ses enfants et ses collègues de travail, à bien vouloir aider le dépendant à retrouver sa sobriété. Ils feront leur possible pour l'aider sans prendre conscience qu'ils sont tous impuissants devant cette mauvaise habitude. Avec le temps, ils seront de plus en plus engagés par amour envers le dépendant et s'approprieront cette lutte comme si le problème leur était personnel. Ils ne se rendront pas compte que la prise de certaines responsabilités pour le dépendant le rendra encore plus irresponsable et immature, sans l'aider à régler sa situation. Ils iront jusqu'à payer ses factures, appeler le travail pour ses retards et l'excuser auprès de tous pour certaines bévues. Enfin la codépendance est une adaptation inconsciente aux lacunes du dépendant à refuser de se prendre en main et de devenir autonome.

Le codépendant se sentira avec le temps plus ou moins coupable d'avoir échoué sa mission d'entraide et il subira peut-être des troubles psychologiques à son tour : dépression, angoisse, découragement ou tristesse. Le codépendant est normalement moins en mesure d'aider le dépendant, car souvent ils sont interreliés sur le plan familial ou affectif. Vu ce lien de proximité, le codépendant est aussi plus apte à se faire manipuler, selon moi, car son cœur est impliqué dans cette lutte.

Je suggère d'être très ferme et d'orienter le dépendant vers de l'aide professionnelle quand il sera déterminé à bien vouloir s'aider par lui-même. Nul ne peut aider une personne à changer, sinon la principale intéressée. Attention de ne pas vous perdre dans l'« addiction » de l'autre, car la route risque de s'avérer longue et pénible.

Ce qui stresse le codépendant est qu'il vit dans l'attente de la sobriété du dépendant et ira même jusqu'à devenir préoccupé par la quantité d'alcool qu'il consommera. Il aura honte du comportement du dépendant et il inventera plein d'excuses pour le protéger et pour justifier sa surconsommation, comme pour normaliser subtilement cette maladie.

N'oubliez pas qu'un alcoolique à un mal à l'âme plus souvent lié à son passé et que son problème à résoudre ne vous appartient pas. Il faut avoir mal pour boire ainsi. Ne le pensez-vous pas ? Si vous vivez avec un alcoolique et que vous avez besoin d'aide, je vous suggère fortement de contacter l'association Al-Anon, un groupe d'entraide pouvant vous aider à comprendre cette maladie plus en détail. L'important demeure de saisir que vous n'êtes pas la cause du problème : ce n'est pas votre bataille. Afin de vous aider vous-même, il est primordial de réapprendre à écouter vos propres besoins et de vous fixer des limites saines que vous devez toujours respecter. Parfois le détachement vis-à-vis du dépendant est difficile, car malgré son degré d'intoxication, l'amour demeure présent.

On a fait beaucoup de campagnes publicitaires dans les médias afin de sensibiliser les gens à ne pas conduire en état d'ébriété, mais rarement des campagnes pour les sensibiliser aux effets nocifs éventuels de la consommation d'alcool sur la famille. Vivre avec un alcoolique qui ne veut pas s'aider peut être très blessant, honteux et très déstabilisant sur le plan émotif et familial. Si vous me lisez et vous avez un sérieux problème avec l'alcool, pensez aux gens qui vous entourent chaque fois que vous soulevez votre verre. Il est ironique d'entendre un alcoolique dire qu'il boit à sa santé, car tôt ou tard, il la perdra pour ce motif.

La toxicomanie

Le toxicomane vit une dépendance psychique ou physique à la drogue qu'il consomme de façon habituelle ou constante. Sa consommation peut devenir sa raison d'exister au point d'abandonner ses priorités, ses enfants, son emploi et même sa vie. Cette dépendance comprend une zone de plaisir très élevé, ce qui rend l'« addiction » dangereusement facile.

Plus longtemps il consommera de la drogue, plus longtemps il ressentira de la difficulté à s'abstenir de celle-ci. Il est certain qu'il existe plusieurs niveaux de dépendance, mais le lieu commun est de voir combien la drogue provoque l'instabilité émotive de l'individu. Cela complique ses relations interpersonnelles, ses contacts avec ses proches et son entourage. Il sera le spécialiste pour repousser plusieurs amis, la famille et les conjoints par des comportements peu plaisants, bêtes, sarcastiques et mensongers.

En amour, il aura le don de quitter un état affectueux pour sombrer dans l'agressivité pour des raisons banales. Il blessera facilement en paroles et actions les gens qu'il prétend aimer. Il sera le spécialiste des promesses d'abstinence jamais tenues ou prises au sérieux. Son manque de parole entraînera une perte de confiance de la part de tous. Il est très courant de voir un toxicomane dans la négation de sa maladie vous mentir, voler et vous menacer afin d'arriver à ses fins. Il sera le spécialiste des emprunts d'argent à ses proches sans remboursement prévu.

Un toxicomane en rechute n'est pas responsable, ni logique ni compatissant envers sa famille. Certains toxicomanes en rechute (et ils sont légion) ont même volé de l'argent à leur propre mère pour acheter leurs drogues.

Aujourd'hui on retrouve plusieurs drogues populaires et communes telles que la cocaïne, le haschich et la marijuana. Même si ces drogues sont illégales, il est triste de constater qu'elles sont facilement disponibles dans votre entourage. J'ai travaillé en tant que policier pendant des années à lutter contre le fléau de la drogue et j'ai compris à quel point les tentacules malsains de cette économie contaminent notre société actuelle Ceci affecte des familles entières qui grandissent avec un parent absent ou décédé après la revente de stupéfiants. Combien d'enfants ont grandi dans la peur d'un parent violent et imprévisible en raison de sa consommation de drogue !

Malgré tout, je suis toujours étonné d'apprendre que plusieurs professionnels consomment régulièrement des drogues. Ils me le disent avec le sourire, comme pour se déculpabiliser, et en ajoutant qu'ils ne sont pas les seuls à consommer dans leur entourage. Certains ont un drôle de raisonnement, je vous l'assure. Un jour, un docteur m'a même confié qu'il consommait de la drogue avant d'entrer dans la salle d'opération afin de se sentir plus relax. Imaginez le manque de responsabilité et de professionnalisme. Ceci démontre bien que les plus instruits et les diplômés universitaires n'ont aucune logique quant à leur dépendance au moment de la rechute.

La pharmacodépendance

Le pharmacodépendant vit une dépendance psychique ou physique à une substance chimique à la suite d'une absorption prolongée de celle-ci. La dépendance aux médicaments est assez commune de nos jours. Trop de gens préfèrent geler leur mal intérieur plutôt que de l'exprimer, de le ressentir et de le libérer. Il est assez facile de se faire prescrire une ordonnance par un médecin. Dans certains cas, il suffit de se plaindre d'une tristesse qui vous déprime et d'une angoisse qui vous serre la gorge, et le tour est joué.

Plusieurs arrivent à mes conférences en me disant qu'ils ont une ordonnance de médicaments, qu'ils refusent de prendre par peur de l'effet physique et psychologique qui en découlerait. Quand je leur demande pourquoi ils en ont une, alors ils me répondent, stupéfaits, que c'est leur docteur qui a prescrit le remède assez facilement, même contre leur volonté. J'ai des amis docteurs et il arrive que dans nos conversations de soirée, on aborde le sujet des empires pharmaceutiques. Je ne vais pas m'éterniser sur le sujet, mais attention à ce qui vous est prescrit et redoublez de vigilance en demandant une deuxième opinion.

Certains médicaments ont un effet similaire à de l'alcool sous forme de comprimés et ils retardent votre évolution plutôt que de vous aider. À titre de policier, j'ai fréquemment rencontré des gens qui prenaient des valiums ou d'autres médicaments avec de la boisson et le résultat fut catastrophique. Attention à l'abus, car les conséquences peuvent être très néfastes pour votre santé, sinon mortelles.

Certains médicaments sont nécessaires afin d'équilibrer votre humeur, dans des cas de maladie mentale diagnostiquée. Il est suggéré de consulter un professionnel réputé et de vous informer des effets secondaires possibles à court et à long terme.

Aujourd'hui les gangs de rue sont réputés pour vendre des médicaments sur le trottoir pour une somme assez modeste, ce qui rend cette dépendance accessible à plusieurs personnes vulnérables. Informez vos enfants du danger des drogues chimiques vendues dans les écoles et sur leur impact, car les consommer peut se révéler très nocif.

Faire la paix avec votre dépendance affective

On devient amoureux avec le temps et le niveau d'intensité de cet amour est proportionnel au temps consacré à connaître cette personne et à celui investi dans cette relation. On ne peut pas être amoureux d'une personne que l'on connaît à peine. Des gens très dépendants vont quand même s'exclamer : «Je suis tombé amoureux!»

Ils sont tombés oui, mais normalement pas amoureux! Cette illusion est trop souvent associée aux sentiments du désir charnel, de la séduction et de la dépendance affective. On devient amoureux peu à peu et ce n'est pas comme si on découvrait toute la lumière du monde le jour même de la première rencontre. Un coup de foudre est ce qu'il y a de plus éloigné de l'amour véritable. Je vous accorde qu'une relation qui débute sur un coup de foudre peut durer, mais ce n'est qu'une fois que les conjoints ont appris à se connaître que cette union devient plus saine, réaliste et soudée par un sentiment d'amour. La relation doit rester saine et non pas devenir un lieu où l'on se sent prisonnier et toujours dans l'attente de l'amour de l'autre.

Vous devez apprendre à vous connaître et à vous aimer ; cela se fera graduellement et non instantanément. Le dépendant affectif désire forcer l'attachement des autres pour combler son besoin d'amour constant. C'est ce qui explique pourquoi un dépendant affectif est plus agréable à vivre au début d'une relation. Par la suite, son comportement peut se gâter dès qu'il sent que l'autre est lié à lui par les sentiments. Ces gens souffrants sont amoureux de l'amour. Ils sont semblables à des affamés cherchant l'amour partout sur leur passage.

Parfois, la joie toute simple que vous éprouvez après avoir rencontré une personne qui s'intéresse à vous peut vous sembler un réel sentiment d'amour. Joie et amour ne sont pas synonymes. Cela explique que certains jouent au jeu de la séduction : pour savoir s'ils peuvent s'attirer un regard ou une offre sexuelle sans même avoir envie d'une relation.

Les dépendants fusionnent tellement avec l'autre qu'ils en perdent même leur identité. Trop souvent, ils emménagent ensemble trop rapidement, se marient pour assurer la continuité de leur dépendance, font des enfants sans se connaître vraiment l'un l'autre et vivent des relations instables et insécuritaires toute leur vie. Ils sont incapables de se séparer définitivement, car ils dépendent l'un de l'autre. Ils perdent ainsi leur joie de vivre et, avec le temps, ils banalisent leur manque d'amour-propre en se disant que tout cela est normal en amour. Ils ne savent pas distinguer l'amour réel de la dépendance.

Ils se séparent aussi souvent qu'ils renouent et ces nombreux rebondissements sont parfois traités avec humour et ironie par les membres de leur famille et de leur entourage. Le dépendant affectif a tellement soif d'affection qu'il est incapable de supporter une solitude prolongée. Le mal de l'âme que ressent une personne dépendante est souvent associé à l'incapacité que ses parents ont eue à répondre à ses besoins affectifs durant son enfance.

Ne sachant pas comment s'aimer eux-mêmes, deux conjoints de ce type ne songent à une rupture que si l'un ou l'autre envisage déjà une autre relation de couple. Ainsi, la souffrance de la séparation est minimisée pour ce parti. Une de leurs peurs dominantes est la solitude. Voilà pourquoi ils vont maintenir leur union même s'ils ne se sentent pas bien ensemble. Un tel scénario est souvent le résultat d'une enfance vécue dans un milieu similaire.

Des gens me demandent parfois : « Marc, dis-moi ce qui sépare les couples, selon toi. » Ma réponse les surprend car je leur dis : « L'amour véritable en sépare plusieurs. » Je m'explique : lorsqu'une relation est malsaine depuis un bon moment, habituellement les deux conjoints le sont aussi. À un moment donné, un des deux conjoints se rend compte que sa situation n'est pas normale. Il va donc participer à un atelier ou à une conférence sur la dépendance affective ou sur l'amour de soi pour essayer de comprendre sa souffrance.

D'autres vont lire un ouvrage sur le sujet ou consulter un psychologue. Le résultat de cette démarche thérapeutique va permettre à l'un des deux conjoints d'apprendre à s'aimer. Lorsqu'une personne apprend à s'aimer, ses choix de vie, sa capacité de décider pour soi-même ne sont plus pareils. Par conséquent, plusieurs vont se séparer à cause d'une croissance intérieure qui fait naître de l'amour pour eux-mêmes. Alors, vous comprendrez pourquoi je dis que l'amour vrai sépare les gens. Je parle de l'amour de soi. Lorsqu'on s'aime, on ne laisse personne nous tenir pour acquis trop longtemps, car on reconnaît ses valeurs et on se respecte.

Symptômes courants chez un dépendant affectif

- Il perçoit presque toujours ses séparations de couple comme un drame, malgré l'évidence que c'était le meilleur choix possible dans les circonstances.

- Il éprouve de la jalousie par peur d'abandon.

- Il vit pour être aimé et oublie parfois d'aimer sa vie.

- Il a la capacité de saboter une relation, ne croyant pas mériter de l'amour.

- Il accepte d'endurer une relation malsaine trop longuement, plutôt que d'y mettre un terme par amour de soi.

- Il éprouve de la difficulté à établir des limites avec les autres et il désire plaire à tous afin d'être aimé. Il éprouve de la difficulté à dire non.

- Il a de la difficulté à reconnaître son identité réelle et il se définit souvent par le regard, l'attention et l'amour des autres.

- Il éprouve de la difficulté à reconnaître et à satisfaire ses propres besoins. Il est prêt à tout pour se faire aimer.

- Il éprouve de la difficulté à apprivoiser sa solitude et ne se permet pas d'être seul trop longtemps entre ses ruptures amoureuses.

- Vu sa carence affective, il exigera l'approbation des autres dans ses choix de vie.

- Il éprouve un désir continuel de séduire dans le but de se sentir important et désirable.

- Il éprouve un besoin de rechercher continuellement de l'amour et de l'affection par le biais de sa sexualité.

Pour lutter efficacement contre la dépendance affective, vous devez améliorer votre estime de soi et vous aimer vous-même avant tout. Le processus qui mène à la guérison est parfois très difficile et il se peut que cette transformation nécessite quelques années de travail sur soi.

La solitude

> « J'ai toujours pensé que la pire chose qui puisse nous arriver dans une vie, c'est de finir sa vie tout seul... Mais c'est faux ! La pire chose qui pourrait nous arriver, c'est de finir notre vie entouré de personnes qui nous font sentir seul. »
>
> — Robin Williams

Que l'on vive seul ou en couple, la route pour apprivoiser sa solitude est décisive et on doit la parcourir seul. Entreprendre un cheminement personnel requiert un grand ménage intérieur pour aboutir à des retrouvailles avec soi-même. Comprendre cette forme de peur par rapport à la solitude est un processus naturel qui vous confronte à vos démons intérieurs et qui nécessite attention et amour.

Quand on réussit à se débarrasser de sa peur de la solitude, cela amène une forte diminution du stress vécu chaque jour, attribuable à cette dépendance. Nous méritons tous une qualité de vie supérieure et nous avons tous le potentiel pour y parvenir. Il suffit d'avoir la volonté de subvenir à ses propres besoins pour atteindre son potentiel.

Plusieurs personnes m'avouent avoir vécu de multiples relations amoureuses, l'une après l'autre, pour ne pas avoir à se retrouver seules vis-à-vis d'elles-mêmes. Ce genre de relation ne découle pas d'un choix personnel, mais d'un besoin dont on se sert pour assurer sa survie. Ce type d'attachement est une illusion d'amour et il résulte d'une incapacité d'apprivoiser sa solitude.

La solitude choisie et pleinement assumée représente, pour certains, la quintessence de la liberté et du bien-être. Un privilège si grand qu'il se savoure intensément, avec conviction et amour-propre. Cet état d'esprit, si apprécié chez les uns, s'apparente pourtant à une catastrophe chez d'autres. Pour plusieurs, la solitude équivaut à un non-être, à un océan de peurs et d'inconfort.

Simplifiée à l'extrême, la différence entre ces deux visions de la solitude réside dans votre appréciation de vous-même et de votre valeur en tant qu'être humain. En d'autres mots, plus vous aurez la capacité de vous aimer, d'être bien dans votre cœur, dans votre tête et dans votre peau, mieux vous apprivoiserez la solitude. Vous devez faire la paix avec la phobie d'être seul et déterminer des moments pour vous retrouver isolé à écouter le silence jusqu'au jour où vous verrez que cette peur était moins épouvantable que prévu.

Orson Welles, le réalisateur, acteur et scénariste américain à qui l'on doit le chef-d'œuvre *Citizen Kane*, s'étant lui-même reconnu comme un grand solitaire, avait l'habitude de répéter ceci : « On naît seul, on vit seul et on meurt seul. » Selon sa vision des choses, ce n'est qu'au moyen de l'amour et de l'amitié que l'on peut créer l'illusion momentanée de tromper la solitude.

Être seul est une chose mais se sentir seul, alors que nous sommes entourés, est encore pire et triste d'après moi. Vous ne croiriez pas le nombre de gens que je rencontre qui se sentent seuls et qui pourtant sont en relation amoureuse ! Le problème part de leur intérieur et il appartient à eux seuls de faire la paix avec eux-mêmes afin de combler leur vide intérieur.

Lorsqu'on se sent seul, on vit souvent ses problèmes et ses angoisses de l'intérieur. Nous partageons rarement notre ressenti avec notre entourage ; de ce fait, nous augmentons notre sentiment de solitude. Un cercle vicieux malsain s'installe alors. On se sent seul au monde, pris avec ses problèmes. Il est important d'extérioriser et de communiquer nos souffrances pour que celles-ci s'atténuent ou s'éteignent. Si votre entourage est constitué de gens à faible écoute en qui vous n'avez pas confiance, l'option de consulter un professionnel peut s'avérer une solution pertinente.

Il n'en demeure pas moins que, de nos jours, la solitude est un problème très courant auquel se butent continuellement les psychologues et les travailleurs sociaux. Nous n'avons qu'à penser aux personnes âgées, aux veufs et aux divorcés dont le nombre se multiplie à un rythme équivalent au triple des mariages. Ces gens ont besoin d'être sécurisés dans leur inconfort.

La multiplication des sites de rencontre qui vendent de l'évasion, la hausse vertigineuse de la vente de condominiums, lesquels poussent comme des champignons sauvages dans nos quartiers, et l'augmentation notable des ventes d'animaux de compagnie sont des symptômes biens représentatifs d'une société où la vie à deux représente de moins en moins la norme.

Les sites Internet, les contractuels, les entrepreneurs et les autres entreprises redéfinissent leurs modèles afin d'accommoder les gens seuls, lesquels ont des manques à combler.

On offre aussi plusieurs cours où convergent les gens seuls tels que : la Zumba®, la danse sociale, la marche, la course, la cuisson ; et même des conférences destinées aux célibataires, lesquelles suscitent un intérêt grandissant.

Lorsque la peur d'être seul s'empare de vous, on vous recommande de ne pas vouloir rencontrer une personne pour combler ce vide. Tentez plutôt d'être heureux et d'apprivoiser votre solitude avant de rencontrer quelqu'un. Contentez-vous d'aller prendre un café, d'aller déjeuner ou d'aller au cinéma seul. Vous vous rendrez compte que vous étiez réellement dépendant, au point de nécessiter une présence à vos côtés. Petit à petit, vous finirez par vous sentir à l'aise avec vous-même. Vous aurez alors franchi un grand pas et vous serez davantage en mesure de composer avec les joies et les avantages de la solitude.

Il est compréhensible que la solitude nous rende inconfortables, car elle nous met face à nous-mêmes et aux blessures de notre passé. La solitude incite parfois nos démons à surgir. Certains vont jusqu'à mettre fin à leurs jours en laissant une lettre explicative de leur mal-être et de leur solitude. Pourtant, ils étaient aimés et entourés de plusieurs personnes.

Dans vos moments de solitude, prenez le temps de vous arrêter à ce qui vous rend inconfortable dans cet espace tranquille. Définissez les sentiments qui font surface. Prenez le temps de prendre conscience que votre perception de la solitude n'est pas la réalité et que la vie est belle malgré ses épreuves. Que vous soyez seul ou accompagné, la solitude mérite qu'on l'apprivoise afin de surmonter cette peur de l'attachement ou de l'abandon et de vous permettre d'aimer alors sans retenue.

D'autre part, l'amour qu'on éprouve pour autrui est un sentiment qui vient agrémenter la vie sans pour autant devenir une nécessité. Cette forme d'amour résulte d'un choix réfléchi. L'amour de soi doit faire partie de nos priorités.

Que votre choix soit bien senti

Assurez-vous toujours que votre décision de continuer une relation soit vraiment la vôtre et que vos peurs ou le mépris d'autrui ne la dicte pas. En assumant votre décision, laquelle est renouvelable chaque jour, vous ne compromettez pas votre pouvoir. Si vous décidez un jour de mettre fin à une relation toxique, dites-vous bien que cette décision constitue une preuve d'amour pour vous-même sur le chemin qui mène à la guérison.

Une relation saine et réciproque entre deux partenaires autonomes exige le respect mutuel. Nous avons tous le droit d'être aimés sans jalousie ni compromis. Le choix d'un partenaire ne se prend pas à la légère, puisqu'il détermine l'importance que vous vous accordez.

Plusieurs participants à mes conférences m'ont avoué qu'ils ne pensaient pas que l'amour et l'affection pouvaient se métamorphoser en dépendance. Cette dernière est souvent attribuable à un manque d'amour incontestable sur le parcours de notre vie et à la peur de la solitude et du rejet. La dépendance affective peut se manifester par suite d'un abandon par un parent, à cause d'un divorce ou d'une adoption, d'un rejet par un ami d'enfance ou d'adolescence ou d'un souvenir pénible et souffrant.

Cette dépendance peut apparaître dès le jeune âge et s'amplifier au fil des années. L'enfant qui, même à tort, se croit ou sent négligé, traîne comme un boulet ce manque ou ce malaise au fond de lui-même. Dans le seul but d'être accepté par son entourage, il pourrait un jour faire des actions ou des gestes qui lui feront du tort. Combien d'enfants acceptent de tolérer l'abus sexuel pour justement se sentir aimés! Une fois adultes, s'ils n'ont pas encore compris la source de ce malaise, ils auront tendance à vivre sous la domination de la dépendance affective et d'une peur paralysante.

Permettez-vous d'être exigeant dans vos choix de relations interpersonnelles et n'ayez surtout pas peur de vivre dans la solitude, si vos choix sont irréalistes et non conformes à vos attentes. Qu'il s'agisse de relations amoureuses ou amicales, vos choix refléteront votre perception de vous-même. Au lieu de toujours chercher à être choisi par l'autre, effectuez ce choix. Et pourquoi ne pas renouveler chaque jour votre amour pour votre partenaire et pour vous-même?

CHAPITRE 6

CESSEZ DE VOUS DÉFINIR D'APRÈS VOS RELATIONS

Il arrive que des personnes se définissent d'après les relations qu'elles entretiennent avec autrui. Étant donné qu'elles sont incapables de se sentir comblées par elles, et valables à leurs yeux, elles se sentent obligées de « s'accrocher » à quelqu'un afin de se donner de la valeur. Par conséquent, elles deviennent l'image de la personne qu'elle fréquente.

Puis, allant de relation en relation, elles exigent constamment des preuves rassurantes, en gestes ou en paroles, qu'on les aime, afin de se valoriser à leurs propres yeux. Il arrive même, dans certains cas, qu'elles réclament continuellement qu'on les rassure à tout prix. Cette question incessante revient : « Est-ce que tu m'aimes ? » Ces personnes sont terrifiées à l'idée de se retrouver seules, car elles se fient sur les autres depuis toujours pour subvenir à leurs propres besoins.

Et, bien qu'on leur témoigne des marques d'affection sincères, elles ont souvent l'impression de ne pas être aimées. Pour elles, une rupture est un échec et un drame, peu importe la qualité de la relation. Après cette rupture, pour reconquérir l'être aimé, elles sont prêtes à renier leurs convictions, à oublier même ce qui a contribué à mettre fin à cette relation, pourvu qu'on leur accorde une deuxième chance. Elles semblent avoir un besoin pressant de conserver ce lien avec l'autre, même si cela mine et menace leur santé et leur équilibre psychologique.

Découvrez votre valeur

En vérité, elles tiennent désespérément à ce lien jusqu'à ce qu'elles entrent dans une nouvelle relation, histoire de ne pas se retrouver seules ; et elles répètent leur stratagème afin de se sentir rassurées encore une fois. Malheureusement, ce scénario continue parfois durant plusieurs années et malgré plusieurs relations valables.

Pour que ce cycle infernal cesse enfin, il faut d'abord et avant tout apprendre à s'aimer et à reconnaître sa vraie valeur sans avoir besoin de recueillir des témoignages aux fins de valorisation personnelle. Les relations interpersonnelles sont d'ailleurs très révélatrices de l'amour qu'on nourrit à l'égard de soi-même.

N'oubliez pas que les personnalités semblables s'attirent, donc un caractère fort en fascinera un autre de même intensité, tandis qu'un tempérament dépressif attirera des gens qui voient d'abord le côté obscur des choses.

Pourquoi choisir de partager votre vie avec une personne qui vous fait vivre des conflits et des déceptions sans cesse ? Aimez-vous plus que ça !

Vous avez droit au respect : apprenez à vous respecter

Accepter moins que ce que vous méritez démontre un manque de respect et d'amour envers soi-même et mine votre équilibre. Il n'en revient qu'à vous d'établir dès le départ des conditions et des caractéristiques non négociables, que vous ne pouvez accepter des autres sous aucun prétexte, même si cela peut sembler capricieux pour certains.

En posant d'avance vos conditions, vous fixerez déjà les limites à ne pas enfreindre dans votre relation et vous démontrerez ainsi votre valeur et celle que les autres devront reconnaître en vous. Si vous consentez à accepter moins que ce que vous méritez, vous donnerez, par le fait même, cette perception et vous vous retrouverez pris au piège dans des relations lamentables.

Soyez intuitif et conscient des besoins des autres afin de percevoir assez vite si vous pourrez envisager une relation avec telle ou telle personne. Apportez quelque chose de neuf à une relation au lieu d'accabler l'autre. Voilà deux notions contraires qui peuvent changer considérablement une relation et décider de sa continuité.

Soyez conscient de vos choix

Vous est-il déjà arrivé de connaître souvent les mêmes drames, peu importe qui est votre conjoint en ce moment? Êtes-vous de ceux qui croient que l'amour fait mal et qu'il est impossible de l'obtenir autrement qu'en souffrant? Cherchez ce qui vous amène à choisir tel type de conjoint et analysez la sorte d'amour et d'énergie que vous dégagez. Si vous êtes toujours attiré par le même genre de personne, sans modifier votre mode de réaction qui vous procure des tourments, vous risquez d'obtenir les mêmes résultats.

Si vous choisissez toujours des gens avec lesquels vous êtes incompatible, il vous faudra comprendre pourquoi ce type de personnes vous attire physiquement, afin d'éviter d'éventuelles déceptions à répétition. Essayez d'y remédier en changeant d'attitude, en apprivoisant votre solitude et en apprenant à vous connaître davantage. Comme le dit si bien ce proverbe, *Mieux vaut prévenir que guérir*.

Soyez fidèle à vous-même

En relation avec quelqu'un, faites-vous partie des gens qui cherchent avant tout à être acceptés et qui portent un masque ? Je ne saurais vous dire l'importance de toujours préserver votre propre personnalité et de demeurer fidèle à votre être profond. Certaines personnes vont même chercher à se conformer aux souhaits de leur partenaire pour entretenir avec ce dernier une fausse complicité.

Combien parmi vous ont les mêmes goûts, optent pour les mêmes sports, s'adonnent aux mêmes jeux et passe-temps que leur partenaire en espérant le rendre plus heureux ou plus reconnaissant ! Ce n'est pas parce que votre partenaire adore jouer au golf que vous devez développer la même passion !

Aimer quelqu'un ne signifie pas de renoncer à ce que vous êtes ou d'exiger la même chose de l'autre. Cela constitue toutefois un engagement mutuel de vivre et laisser vivre. Tant de gens se remettent en question et doutent de leur capacité à se transformer suffisamment pour devenir ce que leur partenaire aimerait qu'ils soient !

Les dangers de vouloir constamment plaire aux autres

Qui d'entre nous ne se préoccupe pas de l'opinion des autres à notre sujet ? Nous dépensons une fortune en vêtements, en cosmétiques, en parfums, en diètes de toutes sortes et même en chirurgie plastique. Faire bonne impression se traduit souvent par une récompense matérielle ou sociale et par un sentiment de mieux-être. Le fait de plaire aux autres raffermit votre assurance en compagnie de votre entourage et en société.

Savez-vous que certains empruntent même des attitudes à d'autres, car en les imitant ils espèrent leur laisser une impression favorable? C'est une forme d'hypocrisie et un manque de sincérité flagrant envers les autres et soi-même. Pour plaire aux autres et ne pas offenser, ils adoptent des comportements qu'ils n'auraient pas autrement.

Et ces efforts qu'ils déploient pour peindre cette fausse image d'eux-mêmes deviennent petit à petit leur nouveau mode de vie. Pourquoi ne pas consacrer plutôt tous ces efforts et cette énergie à travailler sur votre croissance personnelle et à vivre dans la réalité? Car, qu'on se le dise, le masque continuel doit être stressant et fatigant à la longue; et cela entraîne des craintes additionnelles, à savoir qu'on découvre un jour sa vraie image.

Si vous avez une bonne estime de soi, êtes conscient de vos forces et faiblesses en plus de vous accepter tel que vous êtes, vous saurez prendre vos responsabilités, vous affirmer, répondre à vos besoins personnels, avoir des buts et tout tenter pour les atteindre. Une bonne estime de soi fera de vous une personne intègre et bien considérée. L'estime de soi comporte quatre composantes de base qui la représentent vraiment.

Composantes de base de l'estime de soi

Il s'agit d'abord du sentiment de confiance, nécessaire à l'estime de soi. Pour le vivre et réaliser les choses qui vont nourrir votre estime, il vous faudra l'éprouver intensément. La connaissance de soi est une autre composante clé de l'estime personnelle qui démontre l'importance de vous aimer vous-même. Puis, le sentiment d'appartenance permet de ne pas redouter le rejet. Enfin, vous devez acquérir le sentiment de compétence, d'où l'intérêt d'être autosuffisant et apte à prouver votre efficacité.

Si vous possédez ces quatre composantes, il vous sera possible de vous aimer sans avoir à prouver quoi que ce soit aux autres pour leur plaire. L'être dépourvu d'amour pour les autres aussi bien que pour lui-même souffre d'une mauvaise estime de soi et d'un manque de confiance. Par conséquent, il cherchera à découvrir les perceptions ou les opinions des autres à son sujet et il s'adonnera certainement au jeu du caméléon social, que j'ai abordé dans ces pages.

Comme vous le voyez, toutes ces composantes sont intimement liées et si vous négligez l'un ou l'autre de ces aspects, vous risquez d'en payer tôt ou tard le prix. Car c'est bien beau de chercher à plaire aux autres en se donnant l'impression d'être apprécié pour apaiser temporairement sa douleur, mais bien entendu, ce type de comportement vous expose à une certaine vulnérabilité.

Apprenez à dire non sans chercher à vous justifier auprès des autres et demeurez vous-même en dépit des influences extérieures. Cela exigera de votre part avant tout de la compétence. C'est en apprenant à s'aimer soi-même que l'on devient compétent dans ses actions, ses attitudes et son comportement. Cette compétence, ces habiletés et ces talents que vous développez pour vous-même sont les sources de votre succès.

Vivre constamment dans la peur d'être évalué et jugé par les autres peut non seulement gêner votre comportement, mais vous amener à commettre plus d'erreurs. De plus, ces erreurs risquent de vous apporter des sentiments d'insatisfaction, de culpabilité et d'hostilité envers la vie, les autres et, pire encore, vous-même.

Et n'ajoutez pas à votre fardeau par une autoévaluation négative, cela vous dévaloriserait davantage. Sans compter qu'avec si peu de confiance et d'estime personnelle, vous risquez de subir une crise d'identité ou, pire encore, d'adopter des comportements destructifs.

Jusqu'où irez-vous pour plaire aux autres ?

Un jour, un homme m'a avoué que pour plaire à son père, il avait travaillé d'arrache-pied pendant 40 ans sur sa ferme et que, pour plaire à sa mère, il s'était marié. C'était le fermier du village, le bon gars sur qui on pouvait compter et qui aidait tout le monde, si bien qu'il n'avait plus de temps à consacrer à sa propre famille et encore moins à lui-même. Son sentiment de valeur personnelle provenait toujours des autres.

Inconsciemment, pour être fidèle à sa réputation et pour préserver sa valeur et l'excellente opinion des autres à son sujet, il avait délibérément mis de côté ses propres désirs, ses rêves et sa raison d'être et il avait adopté ce mode de vie pour plaire aux autres, alors qu'il aurait souhaité une tout autre vie. En fait, il n'avait jamais pris le temps d'avouer son amour à ses enfants et il se jetait à corps perdu dans son travail pour combler son vide intérieur.

Puis finalement, lors d'une conférence, il a pris conscience que son fils répétait son scénario pour se donner un sentiment d'appartenance, de valeur personnelle et de reconnaissance par ses pairs, en compensation de ce qu'il n'avait jamais reçu de son père. Cet homme reconnaissait enfin que ses choix l'avaient amené à vivre sa vie d'abord et avant tout pour plaire aux autres, en excluant bien entendu sa propre famille et lui-même. Il tenait à s'assurer maintenant que son fils ne commette pas la même erreur que lui.

Ne devenez pas une marionnette qu'on manœuvre à son gré et à laquelle on fait faire ce qu'on veut. Et ne portez pas de masques pour plaire et vous procurer un sentiment d'appartenance. En cherchant constamment à répondre aux attentes des autres, vous devenez esclave de leurs besoins. Si vous choisissez d'être déçu pour ne pas infliger cette déception à l'autre, ce n'est certainement pas une façon de vous valoriser à vos propres yeux, et ce n'est pas nécessaire pour éprouver un sentiment d'appartenance.

Votre vie vous appartient et votre bonheur est un cadeau que vous devez vous offrir par amour pour vous-même. Apprenez à prendre votre place et à vivre selon votre propre personnalité sans avoir peur d'offenser votre entourage, peu importe ce que les gens penseront de vous. Soyez authentique, soyez vous-même !

Chapitre 7

VOUS NE POUVEZ PAS DEMANDER À L'AUTRE DE CHANGER

N'acceptez sous aucun prétexte de vivre une relation dans ces conditions. Ne perdez pas votre temps à ces jeux lourds de sens et de conséquences. Soyez honnête avec vous-même et conscient des répercussions désastreuses que ce type de comportement engendrera à court et à long terme dans une vie amoureuse. C'est à vous de décider.

Chose certaine, je vous conseille de ne pas entrer en relation avec quelqu'un qui vous plaît en caressant l'espoir secret de l'amener un jour à changer certains aspects qui vous agacent. D'ailleurs, vous ne devez jamais rester avec une personne qui cherche à vous changer, peu importent ses intentions.

Comprenez-vous maintenant la nécessité de choisir la bonne personne ? Comme vous ne prendrez pas la route avec une voiture sans freins en croyant qu'elle sera quand même sécuritaire, vous ne devez pas non plus vous engager dans une relation à long terme les yeux fermés. Je vous suggère donc d'être bien conscient de tous ces éléments avant de vous aventurer dans une relation qui revêt de l'importance pour vous.

Bien entendu, certaines personnes nourrissent un amour si égocentrique qu'elles ne laissent aucune place à l'autre. Une personne qui s'aime vraiment est une personne confiante qui veut partager cet amour avec autrui dans le plus grand respect. Vous devez certainement pouvoir faire cette distinction.

La jalousie

Lors de ma carrière de policier, j'ai pu observer tellement de blessures physiques, de querelles et de séparations de couples liées à la jalousie. Cette jalousie souvent si intense amenait des gens à oublier tout bon sens. Les doutes de tromperies contaminaient leur vie au point d'en être obsédés et de trouver des problèmes où il n'y en avait pas. Leur imagination était des plus fertiles et ce qui était normal devenait à leurs yeux une menace d'infidélité.

La jalousie est la pire maladie du cœur, car elle détruit les relations au lieu de les bâtir. Le jaloux ne fait pas confiance à l'autre. Il soupçonne le moindre geste, le moindre retard. La jalousie est une émotion qui prend le contrôle de votre cœur et de vos pensées pour étouffer la personne que vous dites aimer, ce qui rend cette relation intolérable avec le temps.

Quand vous ressentez de la jalousie, vous voulez manipuler, dominer et posséder au lieu de laisser vivre. Ce malaise, parfois contagieux et sournois, est la cause de plusieurs drames passionnels aujourd'hui.

Voici quelques caractéristiques de gens souffrant de jalousie :

- Ils dévalorisent leur partenaire et détruisent ainsi leur estime personnelle.
- Ils peuvent être adorables au début de la relation pour forcer l'attachement de l'autre à leur égard.

- Ils dénigrent aussi les amis de leur conjoint.
- Ils utilisent souvent la peur et les menaces pour s'assurer que leur conjoint agisse selon leur volonté.
- Ils contrôlent l'habillement de leur conjoint.
- Ils méprisent le passé sexuel du ou de la partenaire.
- Ils questionnent sur toutes les allées et venues de leur partenaire.
- Ils refusent que leur conjoint sorte avec des amis sans eux, au théâtre ou au restaurant, par exemple.
- Ils peuvent devenir violents après une rupture amoureuse.

J'ai rencontré tellement de gens de toutes les couches sociales souffrant de ce problème et qui me disaient vouloir vraiment s'en défaire pour retrouver un équilibre intérieur. J'ai moi-même été jaloux par peur de perdre la femme que j'aimais, et cette peur était amplifiée par ma dépendance affective. Il ne faut pas oublier qu'on ne vient pas au monde jaloux, on le devient ; alors, vous pouvez vous en libérer en ayant confiance en vous-même.

Une participante à une de mes conférences m'a témoigné qu'elle avait eu ni plus ni moins le sentiment d'avoir purgé une peine de prison pour avoir enduré la jalousie et le contrôle maladifs de son mari. Quand elle a regagné son estime personnelle, elle a pu à nouveau s'affirmer et se faire respecter. Suivant ma conférence, elle avait compris et augmenté son estime et son mari n'appréciait pas ce changement.

Après deux semaines de disputes, son mari est venu assister à ma conférence. Il m'a écouté attentivement, il a compris la source de la blessure qui le portait à être si jaloux, et sa relation de couple est redevenue peu à peu harmonieuse.

En fait, le problème venait de loin. Il a compris qu'il avait peur d'être abandonné, comme son père l'avait abandonné quand il était petit, après une pénible séparation d'avec sa mère. En comprenant mieux cette blessure qui le meurtrissait depuis si longtemps, après avoir repris confiance et retrouvé son bon sens, cet homme a appris à faire confiance à sa femme et à la laisser vivre.

Il faut simplement prendre le temps de saisir pourquoi l'on ressent une telle jalousie et oser s'aimer soi-même davantage...

Comprendre les racines de la jalousie

Si vous êtes jaloux, il est important de connaître d'où vient votre insécurité intérieure afin de vous raisonner et de lâcher prise. Une relation amoureuse alimente souvent la peur de l'abandon, ce qui pousse les gens en réaction de jalousie.

Si vous vivez une relation avec un conjoint jaloux, considérez que vous faites peut-être partie du problème, car si vous acceptez cela, vous avez vraiment de la difficulté à vous affirmer. L'endurance émotionnelle n'est pas positive dans une telle situation.

J'aimerais vous faire remarquer qu'une personne jalouse est plus souvent à la recherche inconsciente de gens ayant une faible estime d'eux-mêmes, car cela facilite l'emprise émotionnelle et physique. Les personnes dotées d'une saine estime d'elles-mêmes ne tolèrent pas la jalousie de leur conjoint très longtemps : elles savent que l'insécurité intérieure de leur conjoint ne les concerne pas et que cela demeure son problème à lui. Quand vous ressentez de la jalousie maladive, vous êtes toujours perdant, et il est urgent que vous appreniez à accepter vos blessures du passé.

Une participante à mes conférences m'a confié que sa jalousie était ancrée en elle à cause d'un abus sexuel subi dans sa plus tendre enfance, d'où un manque énorme d'estime d'elle-même. Une autre m'a témoigné que sa jalousie était liée à l'infidélité de son ex-copain, même si cette relation était terminée depuis longtemps. Un autre était jaloux depuis le décès non accepté de sa mère et cela le laissait avec une montagne de peurs de privation de l'amour d'un être cher. Comme vous pouvez le constater, la jalousie est intimement rattachée à une blessure du passé ou à une perte d'amour.

Pour comprendre votre jalousie, je vous suggère de dresser une liste et d'énumérer toutes les fois où vous avez perdu de l'amour après une blessure émotionnelle. Ensuite, essayez de déterminer s'il y a une épreuve que vous n'avez pas encore acceptée et empressez-vous d'y remédier pour vous débarrasser de cette jalousie. Une personne jalouse se trouve en réaction contre les souffrances du passé qu'elle n'a ni comprises ni acceptées.

Les jaloux sont en majorité des dépendants affectifs, ce qui amplifie leur peur de l'abandon, car ils ont de la difficulté à apprivoiser leur solitude. Parfois, les jaloux cachent leur malaise et gardent sous silence leurs émotions, de peur de montrer leur vraie nature et de risquer qu'on les délaisse. Il arrive aussi que certains jaloux démontrent clairement leur insécurité et leur immaturité émotionnelle en agissant comme de grands bébés. Certains peuvent aller jusqu'à faire des crises en public, par manque de contrôle d'une situation qui les hante. Une relation saine où l'on sait « vivre et laisser vivre » ne comporte pas de jalousie.

La famille dysfonctionnelle

Le plus souvent, une personne dépendante sur le plan affectif a vécu une enfance carencée quant à ses besoins affectifs. Cette carence affective n'étant pas résolue fait d'elle un parent qui pourrait répéter ce modèle de façon cyclique. Ce cycle de carence peut perdurer pendant plusieurs générations. Une famille dysfonctionnelle peut s'avérer dévastatrice pour un enfant, même si un seul des parents en souffre.

Les causes les plus fréquentes de dépendance affective sont les suivantes : un des parents travaille trop, est peu ou pas du tout affectueux, alcoolique, trop autoritaire et peu communicatif dans l'expression de ses sentiments d'amour à l'égard de ses enfants. Dans certains cas, si les deux parents vivent la même souffrance, cela augmente le niveau de dépendance affective chez l'enfant. Vous êtes-vous déjà questionné sur votre niveau de dépendance affective ? Voici un test qui vous aidera à mieux comprendre vos souffrances relationnelles.

~~~~~~~~~~~~~~~~~~~~~~~~~

Test pour savoir si vous êtes dépendant affectif

Ce test comprend 25 questions qui vous permettront de vérifier si vous appartenez à la catégorie des dépendants affectifs. Répondez à chaque question par oui ou non en inscrivant votre réponse sur une feuille de papier (une colonne pour les oui et une pour les non).

- Avez-vous déjà eu de la difficulté à quitter un amoureux ?
- Lorsque vous l'avez quitté, avez-vous immédiatement cherché à le remplacer ?

- Avez-vous toujours besoin de quelqu'un dans votre vie pour vous sentir aimé ?

- Avez-vous déjà été jaloux dans une relation amoureuse ?

- Avez-vous déjà quitté un amoureux pour un (ou une) autre ?

- Avez-vous déjà trompé votre amoureux ?

- Avez-vous déjà couché avec une personne que vous n'aimez pas ?

- Avez-vous de la difficulté avec la solitude ?

- Est-ce que vous manipulez ou contrôlez l'autre lors de vos relations amoureuses ?

- Lorsque vous trouvez un nouvel amoureux, oubliez-vous vos amis ?

- Avez-vous déjà consommé plus ou moins de nourriture, de drogues, de médicaments ou d'alcool après une peine d'amour ?

- Vous considérez-vous comme un être qui devient rapidement amoureux ?

- Avez-vous déjà eu des pensées suicidaires après une peine d'amour ?

- Vous êtes-vous déjà laissé contrôler par la jalousie d'un partenaire ?

- Êtes-vous déjà resté dans une relation par habitude et non par amour ?

- Avez-vous peur de l'attachement ou de l'abandon ?

- Avez-vous déjà ressenti un coup de foudre ?

- Devant les difficultés de la vie, avez-vous tendance à fuir ?

- Éprouvez-vous le besoin de vous faire aimer de tous ?
- Vous sentez-vous souvent responsable des autres en vous oubliant ?
- Vous sentez-vous coupable lorsque vous prenez votre place ?
- Craignez-vous le rejet ?
- Avez-vous déjà perdu la capacité de ressentir ou d'exprimer vos émotions après une peine d'amour ?
- Avez-vous déjà dit « je t'aime » à quelqu'un juste pour l'entendre en retour ?
- Avez-vous peur d'aimer en général ?

Après avoir répondu à toutes ces questions, additionnez le nombre de « oui » et inscrivez-le sur votre feuille pour prendre connaissance des résultats suivants.

Résultat du test

Si vous avez répondu trois « oui » et plus, vous êtes assurément dépendant affectif.

Si vous avez répondu cinq « oui » et plus, vous êtes une personne dépendante affective chronique.

Plus vous avez de « oui » dans vos réponses, plus vous avez vécu ou vivez encore une carence affective, c'est-à-dire un vide intérieur.

J'estime que la dépendance affective est un des pires malaises de notre époque. Heureusement, il existe une solution et de l'espoir pour éviter des ennuis et plusieurs tourbillons d'émotions. Il s'agit avant tout d'apprendre à vous aimer. Puissent mon livre ou mes conférences être des outils pratiques en ce sens.

La petite fleur dénudée ne meurt pas sous le froid, elle irradie même fanée, tout comme l'amour au creux de soi.

La dépendance sexuelle

Quand un individu a des besoins ou des pensées sexuelles irrépressibles et répétitifs au quotidien, on parle de dépendance sexuelle. Cette dépendance peut être alimentée de fantasmes et de masturbations fréquentes pour assouvir des besoins. La sexualité, tout comme l'amour, devrait être un complément à votre vie et non une dépendance. Dans certains cas de dépendance avancée, un désir sexuel continuel peut même causer des problèmes dans la vie de tous les jours.

Un orgasme libère des endorphines qui procurent un sentiment de bien-être au cerveau et à tout le corps. Cela explique pourquoi il est fort possible que cette dépendance soit à la fois physique et psychologique. À l'instar de plusieurs dépendances, la zone de plaisir est aussi accrocheuse que dévastatrice. Tant de divorces pour une nuit de plaisir !

Précisons que quand on parle d'anormalité sexuelle, on ne parle pas de ces couples qui vivent une belle passion sexuelle quotidienne dans le partage de leur amour. La différence entre normalité et anormalité dépend de la raison principale qui nous incite à vouloir une relation sexuelle. Vivre avec une personne aux prises avec une dépendance sexuelle devient un fardeau avec le temps, car son besoin inassouvi favorise les sautes d'humeur.

De nos jours, les gens se permettent d'explorer, de vivre et de s'abandonner à maints désirs et fantasmes sexuels sans nécessairement vivre l'amour – peu importe leur statut social. Ils explorent plusieurs relations à court terme sans trop se soucier de l'engagement. Dans d'autres cas, l'exclusivité sexuelle ne fait jamais partie du mode de vie ou des valeurs.

Plusieurs se courtisent en évoquant un manque d'intérêt pour une relation amoureuse. L'aventure sexuelle pour la consommation mutuelle est leur dada. Ils agissent ainsi parce qu'ils ne veulent obtenir que de l'affection et une sensation euphorique sans s'engager sur le plan relationnel ou émotionnel.

Ce mode de vie cause la dépendance sexuelle, qui deviendra avec le temps une illusion, du fait de se sentir valorisé et aimé par le sexe. Il est faux de croire que chaque personne qui nous désire nous apprécie, nous respecte et nous aime pour autant. Dans certains cas, à part nous toucher sexuellement, l'amant ne voudrait même pas être notre ami.

Combien de gens se croyant aimés ne sont que des objets sexuels et de fantasmes aux yeux de plusieurs ! Leur grand vide intérieur étant immense, il leur faudra beaucoup de courage pour y résister, car pour eux, le sexe est de l'affection. Lors d'une consultation privée à mon bureau, une travailleuse du sexe m'a avoué se sentir vraiment aimée par son client, car il la gavait de beaux compliments et de paroles d'amour. Cette illusion de compliments réconfortants en endort plusieurs, même s'il s'agit d'une méthode déguisée pour nourrir un plaisir égoïste et temporaire par le sexe.

Les dépendants sexuels préfèrent s'abandonner aux relations sans lendemain, sans peur d'être blessés par l'abandon. Ironiquement, ils préfèrent abandonner les autres eux-mêmes. Ils se contentent de vivre des relations plutôt physiques sans les efforts nécessitant les hauts et les bas d'une relation amoureuse saine au quotidien. Ils finissent parfois leur vie sans enfants, sans maison et sans plan de retraite préétabli, car ils ont fui toute possibilité d'engagement.

Ils visitent les mêmes endroits propices aux rencontres d'un soir, sachant où augmenter leurs chances de se faire courtiser. Ils s'habillent pour l'occasion de façon à attirer l'attention et savent bien comment s'y prendre pour élargir leurs horizons de conquête.

Avec le temps, ils sont comme des abeilles butinant de fleur en fleur pour assouvir leurs propres besoins sans se soucier du mal que cela peut engendrer, autant pour eux que les autres. Si un jour ils deviennent trop « impliqués » sur le plan des émotions, ressentant une lueur d'amour ou d'ennui pour l'une de leurs multiples conquêtes sexuelles, ils prendront leurs distances, réaffirmant à maintes reprises qu'ils ne veulent pas de relation sérieuse.

Ils multiplieront les conquêtes sexuelles simultanées pour ne jamais manquer de corps à consommer. Ils auront une liste de prétendants purement sexuels dans leur téléphone cellulaire et, en quelques messages envoyés ici et là, leur prochaine compagne de baise aboutira dans leur lit, à quelques heures d'avis. Ce qui est bon à savoir est que leur réseau de prétendants a aussi son réseau de prétendants, chaque personne impliquée a établi sa liste « d'épicerie virtuelle ». Alors imaginez les possibilités de contamination si le préservatif est laissé de côté.

Les meilleures compagnes de lit seront éventuellement revisitées quelques soirs et les moins bonnes seront vite écartées de leur liste, comme on jette une pomme aux vidanges. Ils seront les experts à entretenir plusieurs conversations par texto ou Facebook en même temps avec plusieurs prétendants, comme si ce n'était pour eux qu'un jeu vidéo. D'où l'expression anglaise fréquemment employée pour ce genre de comportement : *player*, ce qui signifie joueur. Il y a aussi *fuck friend* ou *sex friend*, pour ceux qui se concentrent sur moins de partenaires sans engagement.

Ils iront au restaurant avec un différent prétendant assez souvent avant de finir leur soirée immanquablement au lit, action préétablie dans leur sortie. Avec le temps, leur sexualité manquera de ressenti et de bon sens, avec pour conséquence qu'ils se sentiront utilisés par des conquêtes peu attirantes selon leur goût physique, psychologique et intellectuel. Plus ils seront vulnérables, plus ils prendront n'importe qui pour se satisfaire. Parfois ils seront incapables d'embrasser leur conquête, étant trop peu engagés dans l'acte et peu enthousiastes devant la proie.

Dans des soirées entre amis, ils iront jusqu'à se vanter de vouloir un corps à consommer en fin de soirée sans même avoir lorgné une personne en particulier. Ils parleront fréquemment de leurs exploits sexuels pour nourrir leur ego malade et leur manque d'estime de soi. Un jour ou l'autre, ils en subiront les conséquences : le jugement sévère des amis ou de leur entourage quant à leurs valeurs.

On constate, chez les gens en baisse d'estime de soi, une valorisation qui inclut la narration de leurs déboires sexuels du passé ; c'est monnaie courante. Tout comme s'ils se définissaient par leurs conquêtes pour démontrer qu'ils sont désirables, eux aussi.

Afin de mettre du piquant dans leurs histoires et d'en intéresser plusieurs, ils adorent raconter les moindres détails de leurs ébats sexuels pour maintenir l'attention de tous. Ils parleront des lieux et des gens avec lesquels ils ont eu des aventures et ils feront parfois de l'humour avec la quantité de corps consommés durant leur semaine, comme si leur débauche était une somme d'actes glorieux.

Ils n'auront pas assez de discrétion pour se taire et un jour ils finiront par blesser un prétendant amoureux en début de relation qui envisage une relation sérieuse avec eux. Je ne dis pas de ne jamais parler de son passé sexuel, mais je vous incite à comprendre comment il est blessant de se sentir une personne parmi tant d'autres.

Le fait de raconter ses aventures dans les moindres détails sert à quoi, au juste? Si vous avez besoin d'en parler pour une raison ou une autre, trouvez un confident neutre ou un psychologue pour éviter de blesser des personnes qui vous aiment et qui s'inquiètent à votre sujet. Ce que je trouve ironique, avec les gens qui se vantent de leurs exploits sexuels, c'est qu'ils souffrent de jalousie vu leur faible estime. Ceci veut dire qu'ils aimeront se vanter de leurs exploits sexuels jusqu'au jour où ils rencontreront un conjoint qui peut en raconter autant sinon plus qu'eux. Et, bien sûr, ceci ne fera plus leur affaire, car ils seront blessés à leur tour et leur estime en prendra un coup. Ils se considéreront eux aussi comme un numéro ou une baise parmi tant d'autres.

Le sexe est irrationnel et l'amour rationnel

Le désir sexuel n'est pas synonyme de l'amour, or cette confusion cause plusieurs déceptions et conflits. L'attraction charnelle entre deux personnes est chimique, hormonale et ne se compare pas à l'amour. On ne peut aimer une personne qu'on connaît à peine et on devient amoureux seulement avec le temps. Après avoir vécu des années avec une personne, on est plus en mesure de déterminer si cette relation est basée sur l'amour sincère ou l'attrait de l'aventure. Malgré tout, plusieurs couples affirment être amoureux après deux semaines de fréquentation sans pour autant que les partenaires se connaissent ou s'aiment réellement. On ne peut aimer une personne qu'on ne connaît pas, alors arrêtez de rêver inutilement.

Lorsque j'entends des gens s'exclamer au tout début d'une relation qu'ils sont tombés amoureux, je les reprends en leur disant qu'ils sont plutôt tombés dans le lit. Tomber amoureux est un mythe qui perdure depuis très longtemps et qui laisse croire qu'on a rencontré l'âme sœur dans une relation d'amour instantané, quand en réalité le désir est instantané. Le coup de foudre est catégorisé comme un intense désir charnel. Suivant le coup de foudre, on s'aperçoit que notre partenaire a des défauts lorsque la routine s'installe et qu'on redescend un brin de son nuage rose. Ne perdez pas votre équilibre au tout début d'une relation car, à ce stade, il serait bien d'être réaliste et de décider si cette relation se fonde sur l'amour véritable selon vos besoins ou découle d'un simple appétit charnel.

Je crois que la compatibilité sexuelle est importante pour le succès d'un couple, mais n'oubliez pas les autres éléments tels que l'amitié, le respect, l'amour, les loisirs, la communication, la patience, l'humour et les buts communs.

L'amour passionnel que certains ressentent au tout début d'une relation est en réalité un sentiment qui peut engourdir notre logique. Lorsqu'on se courtise, on est plutôt dans le ressenti du désir et de l'attraction, pas dans le questionnement mature relatif à nos besoins primaires.

Notons que l'augmentation des rencontres purement sexuelles peut aussi être bénéfique dans certains cas isolés. Pour certains, ce pourrait être la source d'une augmentation remarquable d'estime personnelle après une relation dévalorisante. Dans d'autres cas, simplement se sentir désiré à nouveau peut procurer le sentiment d'être vivant. Il est bon pour l'ego de se faire remarquer, d'autant plus si l'on manque de confiance, mais ceci risque de devenir un terrain glissant un de ces jours.

Les problèmes d'ordre sexuel

Ce qui peut diminuer le désir sexuel pour un couple, c'est assurément la pression liée à la performance et à la fréquence sexuelles ; ou encore lorsque la sexualité devient une obligation ou un déclencheur de souvenirs négatifs rattachés à un abus sexuel du passé. Ne vous servez pas de la sexualité comme d'une forme de manipulation ou même de punition à une problématique de couple. Regardez la situation en face et discutez-en ouvertement.

La communication sexuelle entre l'homme et la femme est malheureusement souvent en contradiction. La femme souhaite « arriver » à sa sexualité par l'amour et le romantisme alors que l'homme souhaite « arriver » à l'amour et au romantisme par la sexualité.

En général, l'homme est plus souvent infidèle par besoin physique alors que la femme l'est davantage par besoin émotionnel et affectif. Plusieurs femmes m'ont avoué avoir été infidèles simplement parce qu'elles avaient rencontré une personne qui les écoutait et les appréciait davantage au quotidien. Une rencontre au petit café le matin était un événement formidable qui compensait son manque d'écoute à la maison.

Un autre problème d'ordre sexuel peut se produire lorsque les deux partenaires sont des personnes soumises sexuellement à l'autre, et attendent toujours l'initiative de l'autre. Cette situation peut causer un froid et un sentiment de rejet dans le couple, car même si les deux personnes se désirent, rien ne se produit.

Se donner sexuellement sans le vouloir réellement n'est jamais très bon pour l'estime personnelle. Pour certains, dire non à la sexualité rehausse l'estime de soi, alors que pour d'autres, dire oui au sexe rehausse également cette estime personnelle. À chacun son choix. Le sexe n'est pas toujours synonyme d'estime ni d'amour.

Le sexe et Internet

Avec la technologie actuelle, je dirais qu'Internet est rendu un des lieux de rencontres les plus convoités, mais aussi de ce fait, l'un des plus dangereux au monde. Conquérir et consommer de multiples partenaires sexuels comportent des dangers, et il serait bon de les considérer. Les drames passionnels sont à la hausse depuis quelques années et les agressions sexuelles et les meurtres commencent souvent par une rencontre anodine. Il existe aussi des sites de rencontres spécialisés dans le sexe et les fantasmes, où se regroupent plus souvent qu'autrement des gens démunis sur le plan émotif. Alors soyez-en avertis.

Une vie sexuelle active durant une période augmente le risque éventuel d'infidélité, car pour quiconque a l'habitude d'être volage et sans inhibitions, le naturel revient au galop aisément.

Les déclencheurs de souvenirs

Une amie me racontait que tous les jours elle avait des déclencheurs de souvenirs qui lui rongeaient le cœur et l'esprit, quand elle passait devant des endroits où son mari lui avait raconté y avoir eu des ébats sexuels, comme pour se vanter sans raison valable. Par exemple, il y avait une petite chute d'eau près de chez elle qui était jadis son havre de paix où elle allait méditer sur elle-même. Cet endroit était magique et d'une beauté inouïe. Avant, elle contemplait ce lieu paisible, mais aujourd'hui elle préfère ne plus s'y rendre, car sa mémoire la blesse chaque fois puisque son mari y avait vécu des ébats avec une autre.

Le lâcher-prise aide beaucoup dans de telles situations, je vous l'accorde, mais la mémoire émotive a aussi la capacité de se rappeler pour plusieurs années des détails qui nous hantent contre notre gré ; alors apprenez à vous taire, évitez des confidences inutiles et blessantes.

Les conséquences de la dépendance sexuelle

Tellement de gens ont perdu leur famille et le respect de leurs enfants pour une histoire d'un soir. Combien de couples se sont séparés après un fantasme à trois ou davantage qui représentait une sorte de trahison collective ! Peut-on vraiment partager une personne que l'on aime sincèrement sans être blessé dans son psychisme ? Si vous avez à choisir entre les deux suivantes, quelle sorte de relation serait votre premier choix ? Une relation d'amour sans sexe ou une relation de sexe sans amour ? Cela peut vous démontrer votre priorité aujourd'hui.

Vos réponses vous regardent et les meilleures seront les vôtres. Inscrivez-les sur une feuille de papier ou dans votre journal intime. En tant qu'adulte, nos actions viennent avec des conséquences ; c'est à vous d'y réfléchir.

~~~~~~~~~~~~

Un test sur le risque d'infidélité

- Manquez-vous d'affection ?
- Avez-vous déjà été infidèle ?
- Manquez-vous d'estime personnelle ?
- Avez-vous de la difficulté à dire non ?
- Travaillez-vous dans un milieu très social ?
- Vivez-vous une peine d'amour actuellement ?
- Avez-vous de la difficulté à vous affirmer ?
- Êtes-vous encore ami avec d'ex-conquêtes sexuelles ?

- Êtes-vous dépendant affectif ?

- Êtes-vous une personne qui aime jouer la carte de la séduction pour se valoriser ?

- Êtes une personne qui côtoie des gens infidèles ?

- Êtes-vous influençable ?

- Avez-vous un problème d'alcool ou de drogue ?

- Visitez-vous fréquemment des boîtes de nuit ?

- Entretenez-vous des relations virtuelles avec des étrangers afin de vous divertir ?

- Votre conjoint actuel a-t-il déjà été infidèle ?

- Avez-vous de la haine envers votre conjoint actuel ?

- Êtes-vous dans une relation de contrôle ou de jalousie ?

Si vous avez répondu oui à cinq questions, vous êtes à risque d'infidélité lorsque vous êtes en manque d'amour et dans les moments les plus vulnérables de votre existence. Oser vous aimer ne fait pas partie des statistiques de séparation par infidélité. Lorsqu'on aime, il est facile d'être exclusif sexuellement et l'on attend la même chose en retour.

L'infidélité affective et sexuelle

On admet plus volontiers aujourd'hui que les femmes, au même titre que les hommes, puissent éprouver une attirance sexuelle qui les conduise à l'adultère. La notion d'engagement à sens unique dans une relation ne mène jamais très loin. Aussi, pour prévenir de grandes déceptions et pour évoluer sur la même longueur d'onde, vous avez avantage à discuter avec votre partenaire de vos attentes respectives, au tout début de votre relation amoureuse.

Qu'on l'accepte ou non, qu'elle soit fatale pour le couple ou non, la victime d'une infidélité doit être forte dans ses convictions et dans son amour-propre pour ne pas perdre son estime personnelle. Ce n'est qu'avec un certain travail sur soi-même qu'une personne trompée peut préserver sa confiance en elle-même. Trop souvent cependant, elle se détruit en se comparant sexuellement à l'autre personne impliquée et en imaginant sans cesse son conjoint en train de vivre ses ébats dans ce scénario sexuel où il a été infidèle. Ces pensées blessantes et intolérables peuvent dominer sa vie à un tel point qu'elle en deviendra obsédée.

On voit aussi des cas fréquents de victimes d'infidélité affligées d'un problème d'insomnie, et parfois leur tristesse est si énorme qu'elles en perdent l'appétit... même la soif de vivre. Et cette haine qu'elles entretiennent et nourrissent au fond d'elles-mêmes peut leur attirer des problèmes de santé majeurs. Dans certains cas, leur souffrance est insoutenable et ces victimes optent malheureusement pour le suicide ou des crimes passionnels. Bien sûr, par nature, il est plus fréquent que l'homme commette un crime passionnel plutôt que la femme. Étant plus sensible, elle se résout à vivre son émotion et à communiquer son mal. Il y a quelques exceptions, mais ce n'est pas la norme.

Plusieurs se réveillent un beau matin, ne sachant plus trop qui ils sont, perdus et désespérés par leur déception amoureuse. Bien sûr, il n'est pas facile de réagir positivement devant un geste qui nous a blessés très profondément. Mais en y réfléchissant bien et froidement, que l'autre nous aime ou nous haïsse, qu'il nous respecte ou nous méprise, cela ne devrait pas nous enlever quoi que ce soit sur le plan personnel. Il ne faut jamais cesser de vous aimer vous-même, peu importe la gravité de la blessure morale ou physique. L'amour de soi est ce sentiment puissant qui vous garantit de retrouver votre équilibre intérieur. On dit qu'un homme cocu se sent menacé dans sa virilité, alors que la femme trichée se sent menacée sur le plan sentimental et amoureux.

Il existe d'ailleurs une autre forme d'infidélité qui ne mène pas nécessairement à une intimité sexuelle. Je vous parle de l'infidélité affective. On ne peut nier qu'il n'est pas toujours facile de distinguer la gentillesse de la séduction. Il y a des personnes avec qui on partage plus d'affection qu'avec notre propre conjoint. On est porté à se rapprocher de ces êtres pour qui on ressent une telle attirance, quelquefois trop, au point de développer une amitié exclusive et intense pour compenser le manque de tendresse de sa relation amoureuse. Ce qui, au départ, était une simple relation d'amitié et d'affinités peut alors se transformer tout bonnement en amour. Trop souvent, l'infidélité sexuelle est précédée d'une infidélité affective, où l'on se met parfois même à fantasmer sur l'éventualité que cette relation amicale évolue.

Comme on le remarque, l'infidélité n'est pas simplement sexuelle, elle se retrouve sur le plan affectif aussi. Mais terminons sur une note positive, car l'expérience de l'infidélité peut parfois se révéler une occasion de se prendre en charge, de se regarder objectivement et de bâtir une relation plus intense et plus durable.

En effet, les relations amoureuses, sur tous les plans, ne sont pas toujours faciles à comprendre et à vivre. Quand on accepte cette vérité, on accepte aussi plus aisément les épreuves qui nous frappent en cours de route. Heureusement il existe le pardon et la compassion.

Faire le point avec votre relation de couple

Cet examen minutieux peut s'accomplir seul ou avec votre conjoint afin que vous puissiez discuter de vos réponses ensemble. Si vos réponses causent des déceptions ou provoquent des querelles entre vous, essayez de garder votre sang-froid. L'important demeure de permettre à votre cœur de reconnaître sa vérité et de faire le point dans votre couple.

- Êtes-vous heureux dans votre relation ?
- Avez-vous une relation axée sur le slogan *vivre et laisser vivre* ?
- Est-ce qu'une fierté vous habite en pensant à votre couple ?
- Votre relation exprime-t-elle un équilibre ou un déséquilibre dans votre vie ?
- Votre relation amoureuse est-elle une priorité dans votre vie ?
- Avez-vous de l'amour pour vous-même avant de vouloir aimer autrui ?
- Est-ce que la peur de la solitude est un facteur qui vous pousse à poursuivre cette relation ?
- Est-ce que votre conjoint vous stimule intellectuellement et sexuellement ?
- Avez-vous des buts communs ?
- Avez-vous une bonne communication ?
- Vous respectez-vous mutuellement ?
- Croyez-vous que votre relation est appelée à durer à long terme ?

- Entretenez-vous une belle amitié avec votre conjoint ?
- Votre relation représente-t-elle un poids ou est-elle plutôt un complément à votre vie ?
- Est-ce que la simple présence de votre conjoint vous comble d'affection ?
- Éprouvez-vous de la haine pour votre conjoint ?
- Voulez-vous sincèrement rester engagé dans cette relation ?
- Avez-vous une forte complicité et le sens de l'humour ?
- Votre relation est-elle encore romantique ?
- Ressentez-vous du plaisir à faire des loisirs ensemble ?
- Nourrissez-vous certaines peurs relationnelles (infidélité, violence, malhonnêteté, abandon, doute, attachement) ?
- La jalousie est-elle présente dans votre relation ?
- Vous sentez-vous apprécié par votre conjoint ?
- Préférez-vous travailler plutôt que d'être avec votre conjoint ?
- Pouvez-vous énumérer cinq éléments qui vous incitent à poursuivre cette relation ?
- C'est le plus souvent dans les gestes qu'on ressent l'amour. Mentionnez cinq gestes ou actions que votre conjoint a accomplis pour vous.
- Maintenant, décrivez cinq actions que vous avez accomplies par amour pour votre conjoint.

J'espère que ce simple questionnaire a suscité de bonnes réflexions intéressantes afin d'approfondir votre relation amoureuse.

Pour réussir votre vie de couple

- Ne demandez jamais à l'autre ce vous n'êtes pas prêt à lui offrir vous-même.

- Aimez l'autre dans l'optique d'une relation de « vivre et laisser vivre », sans jalousie ni contrôle.

- Ne rendez pas votre conjoint responsable de votre bonheur.

- Aucune forme de violence ou de menace n'est acceptable.

- Ne tenez pas votre conjoint pour acquis.

- La sexualité ne devrait pas être la seule facette de votre relation qui fonctionne.

- Ne perdez jamais votre identité et ne renoncez pas à vos loisirs ou à vos amis.

- Soyez des plus respectueux de votre relation et ne parlez jamais en mal de votre conjoint.

- Permettez-vous d'être vous-même et restez vrai.

- Il doit être possible que chacun puisse s'affirmer et discuter sans crainte de répercussions.

- Faites attention de ne pas tomber dans le piège de la routine.

- Un manque de romantisme n'est pas toujours le signe d'un manque d'amour.

- Admettez l'erreur et excusez-vous au besoin.

- Il est important d'avoir des rêves et des objectifs communs.

- L'humour rapproche normalement un couple : alors amusez-vous.

- Une relation est un complément et non un fardeau.

- Si votre couple ne va pas bien, ne pensez pas que la venue d'un enfant va vous réconcilier.

- Si un jour vous envisagez une rupture, surtout ne perdez pas votre respect mutuel ni votre amitié… à distance, surtout si des enfants sont en cause.

- Accordez-vous le pardon au besoin et sachez que personne n'est parfait.

- N'oubliez pas que l'arrivée d'un enfant est un test pour votre relation et que plusieurs couples n'y survivent pas lors des huit années qui suivent sa naissance. Par conséquent, accordez-vous du temps pour votre couple et faites attention aux routines et à la fatigue qui pourraient vous faire perdre votre amour et de l'intérêt pour chacun. Avoir un enfant est un don de soi et demeure à mes yeux l'un des plus beaux cadeaux que vous offre la vie. Je vous souhaite de le vivre dans une relation saine et dynamique afin de maintenir l'équilibre de votre couple.

Faire la paix après une rupture amoureuse

Une rupture amoureuse est souvent perçue comme un drame, mais dans plusieurs cas, ce n'est qu'un cadeau déguisé. Tellement de gens qui assistent à mes conférences se rendent compte que leur séparation est en fait un tremplin pour se réaliser pleinement. Leur souffrance, leur deuil et leur malaise dans cette nouvelle solitude les portent à la recherche d'eux-mêmes. Ceci crée une dynamique assez spéciale qui leur permet de se connaître dans de nouveaux horizons comme jamais auparavant. Ils voient que c'est beau l'amour, mais pas à n'importe quel prix !

Tant de gens se cherchent en adoptant la fausse croyance qu'ils peuvent être heureux seulement s'ils vivent une relation amoureuse. Quelle catastrophe de penser qu'on doit absolument avoir un conjoint pour être heureux ! Cette perception ne peut mener qu'à des déceptions et à un malheur plus profond encore. Aimer quelqu'un ne devrait pas s'avérer un besoin, mais un choix. Si vous vous sentez triste et perdu après une rupture amoureuse, voici quelques conseils pratiques pour retrouver votre équilibre intérieur.

Pour l'instant, vous devez aider votre esprit à rester positif et à ne pas sombrer dans des pensées blessantes. Je vous suggère de parler de vos sentiments à un confident en qui vous avez confiance pour libérer vos émotions refoulées. Sortez de votre maison et faites-vous plaisir, allez par exemple au restaurant ou au théâtre seul. Il est très important de commencer à apprivoiser votre solitude, surtout si vous ne l'avez jamais fait de votre vie. Avant d'être bien avec une autre personne, il est primordial que vous le soyez avec vous-même. Adonnez-vous à des activités comme le sport, la marche, une balade en voiture, pour apprendre petit à petit à vivre seul avec vous-même et non à survivre.

Il n'est pas toujours facile de se retrouver seul après une rupture amoureuse, surtout si on est dépendant affectif. Souvent on cherche à combler ce vide intérieur avec de l'alcool, du sexe, de la drogue, ou simplement en nouant une autre relation temporaire pour éviter de vivre pleinement son deuil. Mais vous pouvez vaincre cette peur de rester seul si vous l'affrontez vraiment.

Un participant à mes conférences m'a demandé de lui faire des recommandations pour l'aider à retrouver son bonheur après une rupture amoureuse douloureuse. Il n'avait pas d'enfants et sa copine était partie avec un autre. Je lui ai demandé s'il était prêt à s'engager à faire ce que je lui proposerais et il m'a assuré que oui. Je lui ai donc remis les huit petits conseils à suivre que voici :

1. Entreprenez une cure de désintoxication physique et émotionnelle, c'est-à-dire, n'ayez aucun contact avec votre ex-copine pour les prochains 21 jours.

2. Éliminez de votre vue les déclencheurs de souvenirs tels que les photos, les cadeaux et même les bijoux qui proviennent d'elle.

3. Essayez de ne pas penser à elle, sauf pour lui souhaiter du bien.

4. Écrivez-vous une lettre d'amour chaque jour pendant 21 jours.

5. Entourez-vous d'amis positifs.

6. Faites une activité nouvelle qui vous apportera du plaisir.

7. Permettez-vous de pleurer si vous en éprouvez le besoin.

8. Apprenez à vous aimer un peu plus chaque jour.

Eh bien, ces recommandations ont été salutaires, tant et si bien que peu de temps après, il a retrouvé son équilibre. Il m'a confié par contre que les deux premières semaines de solitude avaient été plus pénibles pour lui qu'au moment où il a cessé de consommer de la drogue quelques années auparavant.

Apprenez à être bien, seul avec vous-même, après une rupture. Ce n'est pas toujours facile, mais c'est possible avec un peu de patience et de courage. N'ayez pas peur d'avoir mal en vue de grandir et d'accéder à un avenir meilleur. Faites-vous confiance !

Les cinq étapes d'un deuil amoureux

Vivre un deuil amoureux n'est pas toujours facile, surtout si l'on ne connaît pas le processus de guérison. Pour bien guérir votre blessure amoureuse, je vous suggère fortement de rester seul au moins trois mois et de vivre pleinement votre solitude avant de vous engager de nouveau.

À la suite d'une peine d'amour, voici les cinq étapes que vous aurez à supporter pour parvenir à en guérir :

1. **La négation** : À cette étape, vous ne voulez pas croire ni même voir que votre relation est rompue. Il est important alors d'être honnête avec soi-même et de vous avouer les faits tels qu'ils sont en réalité. Si votre relation est bel et bien finie, alors, aussi brutal que ça puisse vous paraître, il faut quand même avancer et passer à autre chose. N'oubliez pas que seule votre relation est terminée, pas votre vie.

2. **La colère** : À ce point-ci, vous pouvez être en colère contre tout le monde, incluant vous-même, du fait que cette relation a pris fin. Je vous suggère de parler de votre colère à un confident autre que votre ex-amoureux. Exprimer vos émotions refoulées de vive voix à quelqu'un qui vous respecte vous permettra de vous en libérer.

3. **La tristesse** : C'est l'étape où la tristesse vous habite et une certaine forme de déprime vous envahit. Vous pouvez perdre l'appétit, n'avoir plus le goût de travailler et vous pouvez même devenir antisocial. Il peut aussi vous être difficile de sortir de votre lit le matin. Je vous conseille de faire des activités que vous aimez et de vous entourer de vrais amis empathiques pour éviter de sombrer dans la dépression.

Faites-vous plaisir, allez au restaurant tout seul et gâtez-vous un peu. Ne restez pas accroché à votre rôle de victime car, dans ces conditions, votre amour de vous-même ne pourra pas évoluer. Retroussez vos manches et faites un pas de plus chaque jour.

4. **L'acceptation** : C'est seulement après être passé par toute la gamme de vos émotions que vous pourrez vraiment franchir cette nouvelle étape et admettre votre perte. Vous verrez alors que vous devez nager avec le courant de la vie, et surtout, que la vie continue. Pardonnez au besoin, avancez et faites la paix avec votre passé.

5. **La renaissance** : Vous continuez de vivre en estimant maintenant que cette nouvelle épreuve fait partie de votre passé. Vous retrouvez votre équilibre intérieur et votre joie de vivre.

Parfois, c'est seulement après avoir vécu le deuil qu'on arrive à comprendre qu'il vaut mieux au fond que cette relation soit vraiment terminée. La vie nous enseigne parfois sous forme d'épreuves.

Vivre sa solitude et sa blessure n'est pas toujours facile, surtout si ça ne vous est jamais arrivé, mais il y a toujours une première fois à tout. Faites-le pour vous avec courage et détermination. Une relation d'amour devrait être un complément à votre vie et non un poids. Vos prochains choix amoureux seront influencés par votre estime personnelle, alors soyez-en conscient. Meilleure sera votre perception de vous-même, meilleur sera votre choix : un choix juste et sain.

Faire la paix avec la séparation

Une séparation laisse habituellement des cicatrices émotionnelles profondes qui doivent, à mon avis, être pansées et vraiment guéries avant que le couple ne songe à renouer son engagement. Parfois, il est nécessaire de prendre un peu de temps et de recul, à l'écart l'un de l'autre, afin de vous comprendre vous-même dans vos souffrances émotives et vos erreurs de parcours.

Si vous éprouvez le désir sincère de renouer avec votre partenaire, je vous suggère d'écouter exactement ce qui motive ce désir en vous, pour ne pas vous retrouver dans le même pétrin qu'auparavant, pour avoir obéi à une décision impulsive purement réactionnelle. C'est pourquoi il est toujours bon d'examiner avec humilité ce qui suscite en vous un tel besoin précipité de renouer.

Demandez-vous ce qui vous incite tant à la réconciliation. Assurez-vous que votre réponse comprend des valeurs primaires telles que l'amour et le respect, sinon vous risquez de vous séparer à nouveau un jour. Méfiez-vous afin que votre désir de renouer ne soit pas engendré à la base par votre dépendance affective, votre dépendance sexuelle, l'aspect matériel ou votre peur de la solitude.

Néanmoins, je ne vous cache pas que peu de couples parviennent à rebâtir une relation qui ne soit pas névrotique comme autrefois. Bien entendu, une fois que votre ligne de non-respect a été franchie, il vous est plus difficile de renouer en espérant vivre une relation saine sur tous les plans. De plus, le fait que votre cerveau n'oublie pas le passé contribue certainement à accentuer cette difficulté. Pour voir si c'est en effet un problème dans votre réconciliation, observez si vous avez déjà eu plusieurs querelles répétitives depuis que vous avez repris contact.

D'autre part, j'ai rencontré plusieurs couples qui ont su renouer, renouveler leur amour avec succès malgré les pires difficultés. J'estime que l'amour est en grande partie responsable du succès de la réconciliation ici. « Tant qu'il y a de l'amour, il y a de l'espoir. » Il est forcément plus facile de rebâtir une relation quand les deux conjoints s'engagent à communiquer davantage et se promettent la transparence réciproque. Mettez aussi de l'humilité dans votre vie et admettez vos torts dans ce qui a entraîné la rupture.

Contrairement à ce que les gens peuvent penser, l'amour entre deux êtres blessés ne s'attise pas aussi facilement. Il est primordial de vous investir dans votre réconciliation et de former une belle équipe. Évitez dans vos conversations d'utiliser des mots tels que *jamais*, *toujours* et *c'est ta faute*, car ils démontrent souvent une frustration.

Je vous souhaite de communiquer franchement, de vous respecter et de ne pas oublier de reconquérir votre amitié d'abord et avant tout.

À la vérité, la question la plus importante à vous poser avant de penser à renouer avec votre conjoint serait : « Est-ce que vos cœurs peuvent se pardonner mutuellement pour les circonstances qui ont provoqué votre rupture au départ ? » Si votre réponse est non, vous ne pourrez vraisemblablement pas maintenir une relation saine si vous renouez et je vous suggère d'emprunter un autre chemin de vie.

Pourquoi les gens sabotent-ils leur relation amoureuse ?

Trop souvent, je rencontre des gens qui ont mis un terme à une relation amoureuse simplement par réaction impulsive ou par peur. Parfois leur rupture est motivée par une peur ou une blessure quelconque, mais tout cela est indépendant de leur propre volonté. Ils me disent vouloir partir, mais leur cœur ressent et crie le contraire. Ce genre de contradiction dans les réactions est souvent le théâtre de situations de va-et-vient relationnels qui contribuent à insécuriser les couples et qui blessent leurs enfants.

Si un jour vous décidez de rompre avec votre partenaire, il est important de comprendre le réel motif derrière cette décision. Votre choix doit être axé réellement sur votre désir et non sur des réactions imprégnées dans votre inconscient. Et comme il vaut toujours mieux prévenir que guérir, la première étape pour qu'une blessure se cicatrise consiste à la reconnaître pour en être conscient, afin de minimiser les conflits pour tous.

Permettez-moi de vous énumérer plusieurs scénarios de réactions inconscientes qui contribuent à saboter des relations chez les gens.

- Plus la blessure de rejet est forte chez une personne, plus elle tend à attirer le genre de circonstances pour aller dans le sens d'une telle mise de côté, pour rejeter les autres ou pour être rejeté.

- Plus la blessure d'abandon est douloureuse, plus la peur d'être abandonné est présente. Ainsi, une personne vivant avec cette peur peut renoncer à une relation pourtant saine, par crainte qu'on l'abandonne un jour. Tant de conjoints abandonnés ont dû vivre ce déchirement sans comprendre pourquoi, et le cycle s'est poursuivi.

- D'autres individus manquent tellement d'estime d'eux-mêmes qu'ils sont incapables de croire qu'ils méritent un conjoint aussi intéressant, et alors ils mettent fin à leur relation, croyant qu'ils ne sont pas à la hauteur.

- Et que dire de ces gens qui traînent comme un boulet une culpabilité insupportable? Ils se sentent si coupables d'avoir été infidèles qu'ils en viennent à quitter leur conjoint souvent par jalousie; comme ils ont trompé leur conjoint, ils ont souvent peur qu'on leur rende la pareille. On appelle ce comportement réactionnel de la projection.

- On retrouve aussi le cas typique de la personne qui cherche à être aimée, mais qui est elle-même terrorisée à l'idée d'aimer. Sitôt qu'elle a l'impression d'avoir rencontré le conjoint idéal, elle se sauve à pas de géant pour éviter d'être blessée. Son cerveau a enregistré le message que l'amour est synonyme de souffrance.

- Il y a également ceux qui sabotent leur relation dans le but de blesser leur conjoint par esprit de vengeance. Ils pensent que la solution, c'est de répliquer par la loi du talion : *Œil pour œil, dent pour dent*, croient-ils.

- Et puis il y a ceux pour qui la simple peur de l'engagement ou du mariage est assez forte pour faire déguerpir le plus fervent des amoureux.

- Il y a encore des gens immatures sur le plan émotionnel qui sont incapables d'affronter les épreuves de la vie et qui préfèrent s'enfuir au premier conflit. Trop souvent, ils agissent de la même façon dans leur relation amoureuse et s'échappent au premier obstacle sur leur route.

- On voit aussi des gens qui ont une peur morbide des responsabilités et qui quittent leur conjoint à la naissance de leur enfant. J'ai même vu ce phénomène se produire alors que le couple avait acheté une maison familiale et que l'hypothèque représentait une responsabilité trop importante pour l'un des deux partenaires. Alors, il a préféré se défiler.

Tout bien considéré, si vous décidez de vous séparer de votre conjoint un jour, assurez-vous que votre choix est le fruit d'une réflexion et d'une action conscientes et non d'une réaction inconsciente à un passé trop lourd. S'il est déjà trop tard pour cette relation, il n'est jamais trop tard pour apprendre de vos erreurs.

Trop souvent l'on repousse de bonnes personnes de nos vies par peur d'être blessé.

Donnez-vous la chance de vivre pleinement et amoureusement. On peut prétendre avoir vécu seulement si l'on a aimé.

Dédramatiser

Afin de maintenir un équilibre intérieur, il est bon de dédramatiser vos épreuves au lieu de vous plonger dans des bouleversements interminables. Vivre avec le cœur en émoi constant prend beaucoup d'énergie sur le plan physique et mental. Un état pitoyable entretient les blessures bien vivantes dans votre être. Lorsque la vie vous est pénible, apprenez à voir des faits dans les incidents, plutôt que des drames. Un divorce est un fait, pas la fin du monde, qu'importent votre perception et le mal que vous ressentez. Rien n'arrive pour rien, dites-vous cela, et empressez-vous de transformer votre réalité positivement.

Acceptez ceci : la vie a son lot de défis à surmonter et il est donc normal de vivre des situations plus ou moins plaisantes. Au lieu de vous laisser surprendre par une épreuve, acceptez la souffrance qu'elle entraîne pour grandir et apprendre. Acceptez les déceptions et les tristesses, mais surtout dites-vous que normalement une telle émotion ne dure pas toute une vie.

N'oubliez pas, lorsque vous ressentez des émotions très intenses, qu'il est possible de perdre votre logique et votre lucidité. Une crise de colère est loin d'être un moment lucide. Les prisons et les hôpitaux débordent de gens qui n'ont pas réussi à gérer leurs émotions et qui ont commis l'irréparable en blessant ou en assassinant une personne de leur propre famille. Si vos pensées vous font mal, apprenez à les immobiliser et à les changer en pensées plus positives. Un de mes amis utilise une technique infaillible pour lui : lorsqu'il est assailli de pensées non désirables, il se met à chanter ou il sort dehors courir quelques kilomètres. Cela change le mal de place.

Par le passé, j'ai aidé une amie qui s'apitoyait sur son sort, aux prises avec un état d'âme dépressif. Sa situation s'est nettement améliorée lorsqu'elle a compris le principe de s'éloigner des gens qui lui ressemblaient. Un environnement de gens dépressifs et pitoyables n'aide assurément pas votre humeur.

Examinez les gens autour de vous. Préfèrent-ils vous raconter leurs drames ou relater de beaux événements ? Tout est dans notre perception et chacun a la capacité de vivre une épreuve en fonction de son attitude.

Voici sept moyens efficaces pour arriver à dédramatiser les événements désagréables de votre vie :

- Communiquez vos blessures.
- Raisonnez et cherchez à comprendre l'intensité du mal.
- Dédramatisez à l'aide d'un bon sens de l'humour.
- Pratiquez la respiration, la méditation, le yoga et le repos.
- Écrivez ce qui vous tourmente, relisez vos impressions, et puis brûlez vos notes.
- Écoutez de la musique qui vous inspire et vous anime.
- Allez courir ou faites de l'exercice.

Faire la paix avec le célibat, qu'il soit volontaire ou non

> « *Le célibataire aura toujours cette grande infériorité qu'il ne connaît, de toute une moitié de l'humanité, qu'un aspect romanesque ou critique.* »
>
> — André Maurois

Jouons franc jeu. Si vous êtes célibataire, il y a fort à parier que vous souhaitez le plus rapidement possible sortir de cette phase inconfortable de votre existence, si ce n'est pas une décision volontaire.

Êtes-vous seul depuis peu, déstabilisé par la solitude soudaine à laquelle vous faites face ? Celle-ci peut être angoissante, notamment si elle vous place brutalement devant un défi d'ordre émotionnel ou financier que vous n'étiez pas prêt à affronter. Peut-être aussi êtes-vous désespérément à la recherche de l'âme sœur en raison d'un célibat qui vous pèse et qui vous semble d'une injustice inconcevable.

Il y a forcément parmi vous des gens qui ont choisi le célibat comme mode de vie, ne cherchant pas l'amour et ayant réussi à trouver le bonheur en eux-mêmes. Quelle que soit votre histoire, vous êtes certainement inscrit à un ou plusieurs sites de rencontres envers lesquels vous entretenez des attentes variant de modestes à démesurées. Bienvenue à l'ère de l'instantanéité et des catalogues virtuels !

Que vous vous soyez reconnu ou non dans l'une des descriptions étalées dans ces pages, sachez que vous n'êtes pas seul. Au Québec de nos jours, d'un simple point de vue statistique, 43,6 % de la population déclare ne pas vivre avec un conjoint ; et l'on a des personnes célibataires, séparées, divorcées ou veuves.

En 2014, le célibat a finalement réussi à échapper aux préjugés qu'il suscitait il y a à peine quelques années. Il s'est muté en un phénomène de société en constante évolution et il fait dorénavant partie d'un mode de vie plaisant et acceptable pour plusieurs gens seuls. Qui n'a pas une vieille tante ou une amie de la famille « vieille fille » ? Bien sûr, chacun sait qu'il n'y a de vie définitive ni dans le célibat, ni dans le couple, et surtout pas dans l'amour, mais ceci dit, tout dans la vie est une question de choix. Absolument tout. Par conséquent, si vous êtes célibataire depuis très longtemps, consciemment ou non, vous en avez décidé ainsi. Si vous n'êtes pas prêt à l'accepter, non seulement vous passez à côté de l'essentiel, mais ce livre ne vous sera d'aucune utilité car, en définitive, tout part de soi.

J'en entends déjà réfléchir : *Pas moi, je n'ai pas choisi mon célibat, il m'a été imposé et je déteste la situation dans laquelle je me retrouve.* Apportons tout de suite une nuance. Peut-être n'êtes-vous pas celui qui a mis fin à votre dernière relation, mais vous êtes assurément responsable de la suite des choses et, conséquemment, de votre état civil et psychologique actuel. Vous êtes le maître incontesté de votre vie et de votre destinée. Il n'appartient qu'à vous d'en écrire le prochain chapitre.

Vos choix de tous les jours, même ceux qui peuvent vous paraître sans importance, ont une influence majeure sur votre vie. Ainsi, choisir de vous engager dans une relation amoureuse au mauvais moment, avec la mauvaise personne et pour les mauvaises raisons peut s'avérer la raison principale de votre célibat. De la même façon, choisir délibérément le célibat pour vous investir dans une démarche de croissance et en dépit de la disponibilité ou de l'intérêt qui vous est démontré par une personne du sexe opposé (ou du même sexe, le cas échéant), peut au final contribuer à la naissance d'une belle et grande histoire. Histoire pour laquelle vous n'aurez pas été disponible dans le premier cas de figure, car trop occupé à vous débattre dans les méandres d'une relation entreprise par dépit, avec la mauvaise personne.

> *« Les hommes célibataires devraient être plus lourdement taxés que les hommes mariés. Ce n'est pas juste que des hommes soient plus heureux que d'autres. »*

> — Oscar Wilde

Lors d'une conférence professionnelle, une amie m'a raconté en détail les circonstances de sa récente rupture. Son récit était classique. Elle était prête à avoir des enfants, mais pas lui. Elle était extrêmement ouverte sur les autres, recherchant les occasions de socialiser, et lui préférait rester solitaire à la maison. Elle aspirait à des rêves et des projets communs, alors qu'il se complaisait dans le statu quo. Leurs vies avaient un temps évolué dans la même direction, mais elle se rendait compte que leurs aspirations les menaient aujourd'hui sur des autoroutes opposées, les éloignant chaque jour davantage l'un de l'autre. Un dimanche matin, après des mois à réfléchir, elle a mis un terme à la relation.

S'il est vécu comme un deuil à faire d'une relation significative, le célibat des « rejetés » peut, d'emblée, comporter son lot de douleur. Pourtant, même si cette amie était à l'origine de la rupture et qu'elle l'avait décidée, elle était alors sujette à des crises d'anxiété incontrôlables. S'endormir et se réveiller seule l'effrayait. Prendre son petit-déjeuner en silence et attendre d'arriver au bureau pour un premier contact humain l'insécurisait. Plus d'une fois elle a eu envie de faire marche arrière et de retourner vers l'homme qu'elle avait quitté pour ne plus affronter l'absence et le vide.

Sur les conseils de ses proches, elle a entrepris une psychothérapie intensive qui a duré plus de deux ans. Pendant toute cette période, contre l'avis de sa psychothérapeute, elle a multiplié les rencontres amoureuses et a gagné toujours avec brio l'épreuve de la première impression. Habituée à exceller dans le monde des relations publiques, elle n'avait aucun mal à présenter le meilleur d'elle-même et à charmer ses proies les unes après les autres. Elle qui avait toujours été à l'origine de ses ruptures, elle se vautrait dorénavant dans le rôle inverse, faisant face à la fatalité avec de moins en moins d'optimisme. Malgré cela, après quelques jours de repos, elle repartait à la chasse vers un nouveau prospect. Le cercle vicieux reprenait de plus belle. Un jour où elle était encore plus fragile et blessée dans son amour-propre que d'habitude, je lui ai soumis la question suivante :

« Pourrais-tu passer un mois seule avec toi-même ?

— Non, et d'ailleurs je n'en vois pas l'intérêt. Pourquoi cette question ?

— Tout simplement parce que si du temps avec toi-même ne t'intéresse pas parce que tu n'en vois pas l'intérêt, pourquoi cela intéresserait-il un autre ? »

Elle m'a raconté avoir beaucoup pleuré ce soir-là. Elle venait de se rendre compte qu'elle devrait souffrir pour combattre ses blessures profondes et qu'elle ne pourrait entreprendre une relation affective basée sur une acceptation et une appréciation mutuelles qu'après avoir d'abord fait la paix avec elle-même. Au prix d'une prise de conscience et d'une recherche de croissance honnête et véritable, elle a passé les saisons qui ont suivi à se reconstruire intérieurement et à faire la connaissance de la femme qu'elle était devenue.

En se reconnectant sur elle-même, elle a pris conscience qu'elle était en mesure de combler elle-même le vide profond qui s'était installé en elle. Elle a recommencé à fréquenter une salle de sport, repris des lectures laissées en plan et renoué de vieilles amitiés. Plusieurs fois par semaine, elle s'est autorisée à se cuisiner de bons petits plats, à flâner dans le bain à remous et à faire de longues marches dans le quartier.

Plus le temps passait et plus elle constatait que son amour-propre grandissait. Même si elle en avait toujours le souhait, elle ne ressentait plus le besoin d'avoir un homme dans sa vie. Les rencontres à la chaîne de jadis lui semblaient maintenant futiles et dénuées de sens. C'est précisément à ce moment qu'un homme qu'elle n'aurait sans doute pas remarqué six mois plus tôt a fait son apparition. Elle n'est plus célibataire aujourd'hui.

Il y a plusieurs raisons et facteurs environnementaux, sociologiques ou personnels qui peuvent vous pousser ou vous amener à vivre une période plus ou moins longue de célibat. Ces raisons et ces facteurs sont déterminants dans votre propre évolution en tant qu'individu et dans l'établissement des paramètres selon lesquels vous quitterez éventuellement cet état temporaire au profit d'une vie à deux.

Dans certains cas, la religion et les classes sociales peuvent pousser des personnes à demeurer « disponibles » pour celui ou celle qui leur sera désigné. Ou encore, à l'inverse, on décidera de ne pas s'engager avec un parti dont la foi, le rang social, l'appartenance raciale et l'éducation diffèrent de la nôtre. Un chef de famille monoparentale pourrait choisir le célibat pour se consacrer entièrement à la protection et à l'éducation de ses enfants. Même votre profession peut vous contraindre au célibat en raison de l'indisponibilité ou d'un éloignement trop fréquent. Bien entendu, le célibat peut aussi en être un de vocation, tel que vécu par certains membres du clergé.

Cela étant établi, attarderons-nous principalement sur des causes plus personnelles et moins sociologiques. Ne nous mettons pas la tête dans le sable, le célibat en est souvent un de rejet, caractérisé par un sentiment d'abandon ou de refus de la part de l'être aimé. Il peut aussi en être un de démission, déterminé par un manque de confiance en soi et par la crainte de ne pas être en mesure de combler les attentes de l'autre. Il peut également en être un de résignation lorsque, faute d'avoir rencontré le partenaire rêvé, une certaine forme de ressentiment s'installe envers le sexe opposé. Une des causes les plus intéressantes de célibat reste toutefois l'acceptation, laquelle découle généralement d'une démarche de croissance personnelle. On dit parfois de ces célibataires qu'ils sont « non disponibles ».

Il est fortement suggéré de faire la paix avec vous-même avant d'entreprendre une nouvelle relation. Faites-le par amour pour vous-même et par respect envers la personne que vous souhaitez rencontrer un jour.

La séduction

La séduction vous aide à courtiser, à vous faire remarquer et à rencontrer des gens autant sur le plan amoureux qu'amical. C'est aussi une façon de démontrer que vous êtes intéressé à connaître davantage une personne. On dit que la séduction passe normalement en premier par les yeux. En effet, le regard est sûrement l'outil de séduction sans pareil qui opère le plus de charme chez l'être humain. Un regard intense et réciproque entre deux personnes a la capacité de vous faire vibrer l'intérieur et de vous attirer de l'admiration et même du désir dans certains cas. N'oubliez pas que l'effet de séduction n'est pas synonyme de l'amour mais plutôt de l'attirance physique et parfois intellectuelle.

Un regard séduisant communique tellement d'admiration qu'il peut même en être gênant et déstabilisant. Les yeux ne mentent pas et un regard intense est souvent le début d'une histoire sexuelle, amicale ou d'amour.

Les gens de séduction ont certaines caractéristiques propres, dont celles-ci :

- ils ont un regard intense ;

- ils accordent à l'autre une écoute attentive ;

- ils ont une façon charmante de s'exprimer, ils communiquent bien ;

- ils n'ont pas peur de complimenter et de dire ce qu'ils apprécient chez vous ;

- ils possèdent un bon sens de l'humour ;

- ils ont adopté un timbre de voix doux et apaisant ;

- ils sont conscients de leur charme et l'exercent avec naturel ;

- ils privilégient une apparence attirante ;

- ils communiquent parfois en touchant les mains ou l'avant-bras.

En règle générale, la femme effectue le premier contact physique. Ce premier effleurement se manifeste la plupart du temps par un léger toucher à l'épaule, au bras ou à la main. Vous pouvez avoir l'impression que ce geste est très spontané, mais il est le plus souvent tout à fait intentionnel. Ce premier attouchement, même léger, contribue à faciliter le rapprochement.

Je vous suggère d'écouter et de bien observer quand votre conjoint vous dit qu'il aime bien vos cheveux coiffés d'une telle manière ou une certaine pièce de vêtement qu'il adore vous voir porter. Si vous savez ce qu'il aime, alors il vous sera plus facile de le séduire. Il est beau de voir un couple en amour se séduire mutuellement tout en restant toujours décontracté et naturel.

Prenons l'exemple du partenaire qui décide de préparer le repas favori de sa femme, de se vêtir de manière à lui plaire en créant une ambiance chaleureuse simplement pour lui faire plaisir.

Néanmoins, il ne faut pas oublier qu'il peut y avoir aussi une forme de séduction plus « malsaine », où certaines personnes ont besoin d'exercer un attrait irrésistible par leurs yeux ou leurs gestes, pour attirer l'attention et se faire remarquer. Dans ce cas-ci, on constate habituellement que ces gens ont une soif d'attention démesurée en raison de leur manque d'estime d'eux-mêmes et qu'ils ont besoin de savoir qu'ils peuvent encore conquérir une personne dans le seul but de flatter leur ego malade. De telles personnes se sentiront obligées d'utiliser les gestes et les paroles pour séduire l'autre, à ce point que leurs flatteries et leurs commentaires, parfois à connotation sexuelle, iront à l'encontre du résultat souhaité.

On rencontre d'ailleurs fréquemment ce genre de comportement dans les discothèques où les gens arrivent bien habillés et sexy pour se faire remarquer, se pavanent devant tout le monde, et dansent en faisant même ouvertement certains gestes de nature sexuelle pour bien attirer l'attention.

Je vous suggère de réserver vos moyens de séduction et vos yeux doux à la personne qui partage votre vie, par respect et par amour pour votre vie de couple. L'infidélité est souvent précédée de jeux de séduction qui finissent par aller trop loin et par briser de belles relations amoureuses.

Si vous êtes célibataire, soyez doux et plutôt gentil dans votre séduction ; ne brusquez rien pour ne pas créer de malaise. Soyez respectueux, car on y gagne toujours à long terme. Et je vous souhaite de rencontrer la personne qui correspondra à vos besoins.

La trahison

La trahison est l'une des blessures des plus difficiles à vivre sur le plan émotif. Elle détruit instantanément le lien de confiance qu'on croyait établi avec la personne intéressée.

Plus votre lien de confiance est sincère et solide à vos yeux, plus votre blessure sera pénible et de longue durée. Dans certains cas, la trahison peut être tellement surprenante et déstabilisante qu'il s'ensuivra un déni de confiance : ou ce sera très difficile, ou cela deviendra impossible de vous fier à qui que ce soit.

La colère et la tristesse ressenties par une victime de trahison doivent être exprimées, sinon ces émotions muettes risquent d'affecter votre santé psychique, physique et mentale. Plusieurs individus dignes de confiance en relation ont été victimes d'une forme de trahison dans leur passé, qui n'a pas encore été pardonnée ni acceptée. La trahison d'un parent, amoureux, enfant, ami, frère ou sœur est très dévastatrice, car elle implique en parallèle un sentiment d'amour et de réciprocité.

En effet, il est très difficile de concevoir comment une personne devant nous aimer et nous apprécier puisse nous mentir et nous trahir. Le sentiment de s'être fait jouer dans le dos par un proche qu'on affectionnait est difficile à digérer, tellement il nous semble insensé et illogique. Dans certains cas, même après le pardon accordé, un petit goût amer de colère ou de tristesse vous reste dans la bouche très longtemps, voire à jamais. Notre cerveau n'oublie pas facilement, ce qui n'aide pas. Cette mémoire sélective nous joue de sales tours.

Une des trahisons les plus difficiles à vivre est certes l'infidélité sexuelle ou amoureuse et l'inceste d'un parent. Cela laisse des séquelles importantes pour l'estime personnelle, l'amour-propre et la confiance. Dans certains cas, ce genre de trahison est vécu avec une telle violence intérieure qu'une tragédie peut en découler, tel un drame passionnel ou un suicide.

Pour ce qui est des abus sexuels, plus de gens osent en parler de nos jours, car on est de plus en plus sensibilisé à se libérer de ce poids qui pèse sur nos épaules. À voir le nombre croissant de centres d'aide aux victimes d'abus, on comprend que ce problème est un fléau social.

L'infidélité sexuelle semble aussi plus commune qu'auparavant, ce qui explique l'augmentation des crimes passionnels et de jalousie, des gardes partagées et des maladies transmises sexuellement. Lors de mes conférences ou de mes consultations en privé, il y a autant de femmes que d'hommes maintenant qui m'avouent une ou des relations extraconjugales.

Souvent, ils me racontent leurs histoires avec plaisir et sans culpabilité, pimentant leurs confessions de détails croustillants, comme si avoir une aventure leur donnait une bonne dose de fierté ou correspondait à une mode sociale. Ils m'expliquent que c'est banal, car il n'y a pas d'amour associé, et le sexe sert à rehausser leur estime personnelle. Ce mode de vie semble faire leur petit bonheur jusqu'au jour où ils constatent qu'ils sont à leur tour victimes d'infidélité. La loi du retour fait bien son œuvre et le retour du balancier peut être assez pénible.

Je crois que l'infidélité brise le sentiment d'être unique et spécial aux yeux de la personne qui prétend nous aimer. Un pot brisé peut être recollé, bien sûr, mais qui est fier de détenir un pot brisé ? Lorsqu'on aime sincèrement et réellement une personne, on ne désire plus personne d'autre, car notre cœur est comblé et heureux. Personne en amour ne voudrait risquer de perdre sa relation amoureuse s'il la considère vraiment importante à ses yeux et dans son cœur.

Si vivre dans le doute de la sincérité d'une personne proche ronge votre intérieur après une trahison, parfois il ne faut pas seulement tourner la page, mais changer de livre. Je dis bien parfois, car le pardon existe et libère, mais dans certaines circonstances d'infidélité, il est préférable de renoncer à toute réconciliation, par respect pour soi. Sur le plan émotif, le mensonge et la trahison sont parfois si intenses que la blessure qui en découle refera surface dans vos pensées au point d'en devenir une obsession. Jour après jour, à ruminer une trahison de la sorte, alors vraiment, la confiance meurt… pour toujours.

Une fois que le doute s'installe, la relation n'est plus sécurisante et votre paix d'esprit n'est plus constante. Le doute rend impossible le retour d'une confiance inébranlable et empêchera l'épanouissement et la stabilité de toute relation. Une maison construite sur une fondation de glaise risque de s'effondrer à la première tempête, croyez-moi.

Oui, on peut remédier à la trahison et se libérer du mal qu'elle nous cause en accordant un pardon sincère et profond. Cependant, dans la plupart des cas observés, le doute résistera à quitter votre inconscient tant et aussi longtemps que vous entretiendrez cette relation avec la personne qui vous a trahi. À continuer à fréquenter cette personne, des déclencheurs de souvenirs de cette trahison risquent de refaire surface dans votre quotidien, ce qui n'aidera pas votre état d'âme.

C'est assez rare que la trahison rapproche deux personnes au point d'en tirer un avantage relationnel, on assiste plutôt à la situation contraire. Normalement la leçon qui suit une trahison est d'avoir pris trop de temps avant de mettre un terme à la relation malsaine et d'avoir ruminé intérieurement cette blessure au point d'en perdre sa joie de vivre. En revanche, n'oubliez pas que si l'amour est présent dans votre couple, le vrai amour bien sûr, il rend possible le pardon et augmente vos chances de retrouver la confiance… un bon jour. Si c'est votre intention, je vous le souhaite de tout cœur.

N'oubliez pas que la trahison est l'une des émotions les plus difficiles à pardonner. Alors voici un petit questionnaire qui peut vous guider dans vos réflexions :

- Ai-je la capacité de pardonner une trahison ?
- Suis-je disposé à lâcher prise et à ne plus me blesser à ruminer cette trahison ?
- Ai-je la capacité de refaire confiance à la personne qui m'a trahi ?
- Est-ce que des doutes m'habitent vis-à-vis de la personne qui m'a trahi ?
- Ai-je perdu ma joie de vivre ?
- Ai-je des pensées obsessionnelles et blessantes ?
- Ai-je des peurs maintenant associées avec cette relation à la suite de cette trahison ?
- Cette relation mérite-t-elle d'être préservée dans l'amour et le pardon, puisque je crois que notre amour est plus fort que tout ?

Le but de ces questions est de vous faire réfléchir au meilleur chemin à suivre à l'égard d'une trahison. Ce choix vous regarde entièrement. Avancez droit devant avec confiance et n'oubliez pas que votre choix sera le meilleur. Bon cheminement !

L'empathie

Imaginez-vous dans les chaussures d'une autre personne pour comprendre comment vous auriez vécu la même situation. Il est facile de juger une personne dépressive jusqu'au jour où l'on fait une dépression soi-même. Je me suis toujours dit que l'être humain n'est fondamentalement pas méchant, mais plutôt souffrant par moments.

L'empathie consiste en cette capacité d'observer une personne dans ses blessures avec des yeux remplis d'amour afin de vouloir comprendre réellement son état d'âme. Les ingrédients nécessaires à l'empathie sont l'amour, la maturité, le détachement et la compassion sans jugement. L'empathie nous porte à vouloir nous élever au-dessus de la blessure ou de l'émotion afin de comprendre les actions de l'autre. Ceci facilite le pardon, si nécessaire, car on comprend qu'une personne avec le cœur en paix n'agira jamais dans l'intention de blesser.

Les gens qui ont beaucoup souffert ont un meilleur potentiel d'empathie, car ils comprennent davantage l'effet de la souffrance sur l'humain.

Une soirée qui m'a marqué

Je n'oublierai jamais, lorsque je travaillais en tant que policier à Hawkesbury en Ontario, avoir reçu un appel de dispute familiale. Cette soirée m'apparaissait jusque-là tranquille et habituelle, alors que je terminais mon café avant de quitter le bureau. À mon arrivée à l'adresse qu'on m'avait mentionnée, un homme s'est pointé sur le côté de sa maison dans un endroit sombre, pour faire feu dans ma direction. Heureusement il ne m'a pas atteint et j'ai réussi à m'abriter derrière un gros arbre qui m'a servi de bouclier. Notre altercation a duré 45 minutes durant lesquelles le suspect a tiré à quelques reprises vers moi.

J'étais mal situé pour me cacher complètement, car un lampadaire non loin de moi me rendait visible à ses yeux, alors qu'il était situé à l'ombre, du côté de sa résidence. Par moments, je sentais des brindilles de bois éclaboussées au-dessus de ma tête par des cartouches. Il manipulait un fusil de chasse de calibre 12 contenant plusieurs petites balles servant à la chasse au canard.

Par ses paroles inaudibles et dépourvues de sens, j'ai constaté qu'il était très ivre. À un moment donné, il a commencé à tirer en direction des automobilistes et j'ai alors décidé de l'approcher pour pouvoir mieux le voir. J'ai entendu mon supérieur, le sergent, me dire sur les ondes du radio-émetteur « *take him down* », m'enjoignant en jargon policier de décharger mon arme à feu sur le suspect, afin de l'abattre. Je savais bien que c'était la chose à faire afin d'arrêter cette menace et j'étais déterminé à faire le nécessaire pour me protéger moi-même ainsi que les gens autour.

J'ai fermé du coup mon radio-émetteur pour ne pas qu'il entende une transmission radio lors de mon approche en sourdine. Je me suis dirigé vers lui en suivant une haie de cèdres qui longeait le côté droit de sa demeure. J'étais maintenant rendu à six mètres de lui lorsque je me suis aperçu qu'à chaque fois qu'il tirait un coup de feu, ça lui prenait environ 30 secondes à recharger son fusil de chasse pour insérer une nouvelle cartouche dans le barillet.

Avant que je puisse faire feu dans sa direction, il a tiré un autre coup de feu vers où il croyait que j'étais toujours caché et, instinctivement, je me suis mis à courir de côté vers lui pour l'assommer d'un coup violent à la tête. Je l'ai frappé de tout mon corps comme à l'époque où je jouais au football et il s'est écroulé sans plus bouger ; j'ai pu par la suite le menotter.

Au palais de justice à la cour criminelle, il a plaidé coupable et a écopé d'une sentence de quelques années de détention et le juge a pris en considération son état d'ébriété, sa dépression et les médicaments qu'il prenait. Cela l'avait déconnecté de la réalité, le soir de la fusillade.

Quelques années plus tard, lors d'une conférence que je donnais à Rivière-du-Loup, j'ai été content et surpris de revoir cet individu qui s'est déplacé pour me saluer et me demander pardon. Il m'a également remercié de ne pas l'avoir abattu ce soir-là. Sa conjointe l'accompagnait et elle m'a donné un gros câlin rempli d'amour. Jamais je n'oublierai cet instant particulier, car j'ai alors compris que ses actes ne s'adressaient pas à moi, mais à l'uniforme que je portais. De plus, sa souffrance l'avait induit à agir ainsi.

Après avoir échangé, j'ai ressenti de la compassion envers lui et je l'ai remercié d'avoir pris le temps de venir me voir. Pour moi cet incident a été une leçon de vie qui m'a aidé à comprendre et à ressentir de la compassion.

La compassion et l'empathie nous élèvent au-dessus de la haine et nous permettent de pardonner pour nous libérer du mal. Pardonner nous libère et nous procure un sentiment de paix que je souhaite à tous.

C'est seulement dans l'amour que l'on peut, par empathie, percevoir la réalité de l'autre.

Le pardon

Lorsque j'étais adolescent, on me parlait régulièrement du pardon, mais sans jamais m'expliquer sa signification. Bien sûr, on me radotait qu'on devait pardonner à son prochain et que c'était la meilleure attitude possible, mais enfin, personne ne m'a enseigné ce qu'était réellement l'acte du pardon. J'ai assisté à des centaines de sermons à l'église et j'ai entendu à plusieurs reprises le curé s'exclamer que le pardon était juste et bon, mais encore là, aucune explication n'était fournie. Le curé nous exhortait tous à pardonner, sans expliquer la notion du pardon.

Ma mère de son côté nous disait fréquemment de nous pardonner entre frères et sœurs afin que nous puissions continuer de nous amuser ensemble. J'ai alors compris que le pardon avait le pouvoir d'arrêter instantanément des chicanes, sans plus. À cette époque, on récitait tous les matins une prière à l'école, le fameux *Notre Père*. Cette prière nous implorait de pardonner à tous ceux qui nous ont offensés afin de nous délivrer du mal, mais encore là, ceci n'expliquait rien de concret sur le pardon. C'était comme se faire dire qu'un certain plat était bon à cuisiner et délicieux, sans jamais nous en donner la recette.

En réalité, sans la compréhension du pardon, on ne peut pardonner. Ceci explique pourquoi tant de gens demeurent blessés durant leur vie entière, à radoter certaines blessures de leur enfance. Ils n'ont jamais compris comment s'en détacher, sur le plan émotionnel. Si vous n'avez pas la perception du pardon, vous ferez sûrement comme plusieurs, c'est-à-dire que vous croirez que le temps arrangera les choses. Tellement de gens se maintiennent en position de vengeance et alimentent leur haine vis-à-vis de la situation ou de l'adversaire pendant plusieurs années. Un jour je leur souhaite de comprendre que ceci ne leur procure aucun avantage, bien au contraire. Avec le pardon, dites-vous que vous n'avez rien à perdre et tout à gagner, car il vous libère du mal.

Lorsqu'on retient des émotions blessantes dans son cœur, ceci entraîne par la force des choses des tourments intérieurs. Le mot *émotion* signifie une énergie en motion;

si c'est en motion, vous devez la laisser passer, pas la retenir en vous. Vous n'êtes pas l'émotion, vous la ressentez certes, mais ne vous l'appropriez surtout pas pour une vie entière. Il ne faut pas se définir selon l'émotion blessante qui habite notre esprit. Il faut plutôt la laisser passer en appliquant les bienfaits du pardon.

Je désire accorder beaucoup d'importance au pardon dans cet ouvrage, afin qu'il soit bénéfique dans votre vie comme il l'a été dans la mienne. Dorénavant, ne dites plus à vos enfants de simplement pardonner sans leur expliquer la signification qui s'y rattache.

Si l'on décortique et définit le mot *pardon*, il signifie tout simplement «par le don de soi». N'oubliez pas que l'on ne vient pas au monde meurtrier, violeur ou jaloux. On le devient par l'accumulation de souffrances mal gérées. Dites-vous que personne n'est méchant sur terre et que les gens qui blessent les autres ne sont ni plus ni moins que des gens qui souffrent; sinon ils vous auraient respecté. Je vous assure qu'il y a du bon dans chaque individu et que chacun a droit au pardon, ce qui vous inclut.

Lorsqu'on fait preuve d'empathie envers les gens souffrants, il nous est plus facile de leur pardonner. Essayez si possible d'enfiler les chaussures d'une autre personne afin de ressentir ce qu'elle vit. Une personne qui vous blesse n'est pas une personne méchante en soi, mais plutôt une personne souffrante. Elle n'est pas arrivée sur cette terre en colère, mais on l'a blessée dans sa vie. Elle ne sait comment se libérer des tourments qui l'assaillent. Regardez les gens blessés avec des yeux remplis d'amour et détachez-vous de leur souffrance, car cela ne vous appartient pas. Regardez une personne en colère comme un individu qui a mal au fond de son être. L'empathie vous aidera à ne pas être trop dur envers les autres et elle facilitera votre détachement par le pardon.

Le pardon peut sembler un geste d'amour très égoïste, car vous ne le faites que pour vous-même, mais c'est aussi l'un des plus beaux cadeaux que l'on puisse s'offrir avec maturité, afin de retrouver un équilibre intérieur. Le pardon est une action interne de libération, un détachement émotif de ce qui nous blesse. Le pardon est un dépassement de soi qui permet de retrouver son bonheur et sa vitalité en se détachant des blessures du passé. Tout ceci est réalisable par amour pour soi.

Ne vous sentez pas dans l'obligation d'aviser de votre pardon les gens qui vous ont blessé, car ce n'est pas nécessaire. Certes, vous pouvez leur en parler seulement si vous croyez que cela vous rapprochera ou vous apportera une plus ample libération ; mais encore là, ce n'est pas obligatoire pour que le pardon prenne effet en vous. Parfois, la meilleure revanche sur tout ce mal causé par autrui est de vivre heureux. Lorsqu'on pardonne, on doit regarder droit devant et ne plus se morfondre dans des émotions destructrices, voire dévastatrices pour notre âme. Ne cultivez surtout pas des pensées de haine qui activeraient des émotions qui finiraient par détruire votre paix d'esprit.

Malgré qu'on prône le pardon par amour, ce n'est pas nécessairement synonyme de réconciliation. Plusieurs personnes que vous allez rencontrer dans votre vie ne sont que de passage. Par exemple, on peut pardonner à un ami qui nous a trahi sans pour autant vouloir le revoir ou lui refaire confiance. Par contre, s'il y a quelqu'un qui mérite votre pardon et votre amitié d'après vous, ce choix vous appartient.

Ne soyez pas dupe et n'offrez pas la deuxième joue comme le prônent certaines histoires bibliques. Parfois il est mieux de ne pas laisser la chance à une personne souffrante de vous trahir deux fois. Le pardon n'est pas synonyme de stupidité. Si vous pardonnez l'infidélité de votre mari, pour la troisième fois, vous n'êtes pas obligée de poursuivre cette relation.

Pardonner ne signifie pas que l'on donne raison à la personne qui nous a blessé mais tout le contraire : l'action du pardon vous détache de cette personne afin de ne plus la laisser vous contrôler. Lorsqu'on entretient une haine pour celle-ci, on devient son esclave, car elle nous hante à distance.

J'ai connu un individu qui se réveillait dans la nuit pour haïr une personne au point d'en être devenu obsédé. Lorsqu'on nourrit de la haine ainsi, on porte toujours en soi cette blessure qui nous pèse sur les épaules.

J'irai même jusqu'à dire que la haine que l'on nourrit dans notre cœur a la capacité par ricochet d'affecter les gens que l'on aime. Sachez qu'un cœur triste et en colère est moins disponible pour ses proches ; par conséquent, la souffrance se propage indirectement dans notre famille, parmi les amis et certains collègues de travail. Sans contredit, une personne blessée a plus de chances de blesser autrui, c'est un fait indéniable. Ne laissez pas vos enfants ressentir votre haine, car vous n'avez pas la maturité de pardonner une bévue du passé. Le pardon améliore vos relations avec tous : il nous permet de nous sentir libres, sains et pleins d'amour.

Le pardon est la route la plus droite vers le bonheur, l'outil psychologique indispensable au maintient de son amour-propre. Si vous retenez de la haine et de la colère en vous, vous attirerez éventuellement certaines maladies telles que le cancer, le diabète ou la dépression. Ce n'est pas seulement la maladie qui peut être héréditaire, mais l'émotion dévastatrice qu'on alimente de l'intérieur. Par exemple, si votre mère était dépressive, car elle n'a pu pardonner une blessure de son passé, alors soyez-en conscient pour ne pas attirer la dépression à votre tour. Essayez d'apprendre des erreurs de vos parents et des autres afin de prévenir des mauvaises routes de parcours.

Par exemple, je pense à mon père qui a consommé de l'alcool une bonne partie de sa vie sans jamais me dire qu'il m'aimait. Grâce à l'empathie, j'ai pu comprendre que cet homme avait grandi dans une famille dysfonctionnelle, souffrant d'un énorme manque de communication et d'amour, et qu'il n'avait jamais appris à dire «je t'aime». Mon père a simplement reproduit les comportements qu'il a enregistrés dans son inconscient, au cours de son enfance. Je ne peux pas le blâmer, car je sais qu'il n'a pas connu mieux.

Quand on réfléchit bien aux souffrances que les autres ont ressenties, il est toujours plus facile de pardonner. Mon père, je l'aime et je l'aimerai toujours. Je suis fier d'avoir pu me rapprocher de lui avant son décès et je le remercie d'avoir assisté à des centaines de mes conférences accompagné de ma mère. Cela a été un cadeau inestimable pour nous tous. Il a terminé ses jours dans l'amour et il était capable de me prendre dans ses bras et de me dire enfin qu'il m'aimait, tout comme ma mère d'ailleurs. Je sais que ce fut une libération pour lui-même ainsi que pour moi.

Le pardon n'est pas une obligation de votre part, mais un choix logique afin de vous libérer. Cette action doit venir de vous seul sans aucune influence. Éventuellement, vous devez ressentir le goût de souhaiter de l'amour aux gens qui vous ont blessé, ce qui vous aidera grandement à vous en détacher davantage.

Quant aux perfectionnistes, ils éprouvent parfois plus de difficulté à se pardonner à eux-mêmes et aux autres, puisqu'ils ne permettent pas facilement l'erreur. Pour évoluer dans la vie, dites-vous que tout le monde est imparfait et que tous ont droit à l'erreur. C'est ce qu'on appelle être humain avant tout.

Si vous avez l'esprit de vengeance, faites attention, car tant et aussi longtemps que vous en voudrez à une personne, vous resterez attaché à celle-ci et vous nourrirez de l'amertume et du ressentiment. Maintenir une vengeance vivante en vous, cela se compare à alimenter un cancer; croire que ceci vous aidera un jour, c'est absurde.

Une fois qu'on a compris la notion du pardon, seuls les êtres immatures ne veulent pas pardonner. Ils choisissent alors de rester pris avec leurs émotions destructrices. Parmi ceux-là, on reconnaît les victimes qui, si elles pardonnaient, n'auraient plus de raisons de se plaindre.

Exercice de pardon

Je vous propose un exercice des plus libérateurs pour vous aider à évacuer certaines émotions malsaines enfouies au tréfonds de votre cœur. Ces émotions néfastes ont parfois été transmises par vos parents qui vous ont légué contre leur gré et inconsciemment leurs souffrances.

Pour un exercice bénéfique, il importe de choisir un moment de la journée où vous serez seul et complètement disponible, quelques heures durant. Rédigez deux lettres, une à l'intention de votre mère et l'autre adressée à votre père, afin de leur exprimer toutes les frustrations et les déceptions que vous avez subies au cours de votre vie.

Prenez le temps de bien réfléchir et de ressasser dans votre esprit cette période de votre vie, de l'enfance à l'âge adulte, afin de réveiller les souvenirs endormis. Pour vous aider dans cette démarche vers le pardon, vous pouvez recourir à des photos de votre enfance. Le but de ces lettres est de vous aider à acquérir une certaine maturité sur le plan émotif, pour casser cette souffrance vécue lors de ces épisodes désagréables de votre passé.

Permettez-vous d'exprimer enfin tous les non-dits et libérez-vous de cette prison d'émotions malsaines qui vous torturent depuis tant d'années. N'oubliez rien, ne cachez rien même si cette peine fut suscitée par vos propres parents. Des parents parfaits, ça n'existe pas. Alors soyez empathique envers eux lors de cet exercice de libération. Dites-vous que s'ils vous ont blessé, ils étaient sûrement eux-mêmes blessés à cette époque. Nos parents nous enseignent ce qu'ils ont appris, ne l'oubliez pas.

Une fois que vous aurez révélé sur papier toutes les frustrations que vous avez dû supporter, refaites cet exercice en leur écrivant des mots d'amour et d'appréciation. Même si cela peut être particulièrement difficile pour certains, dites-leur au moins merci de vous avoir donné la vie.

Puis, quand vos lettres seront rédigées, je vous propose de relire d'abord celle dédiée à votre mère, en imaginant qu'elle est présente devant vous, et répétez ce processus 10 fois de suite. Puisqu'il s'agit de cette femme qui vous a enfanté et porté, lisez-la-lui symboliquement étendu sur votre lit, dans la position d'un fœtus. Examinez alors ce qui se passera en vous et ne cherchez pas à comprendre ni à retenir les émotions qui surgiront.

Accordez-vous le droit de laisser toute cette souffrance s'extérioriser et sortir de votre cœur et de votre être. Ce qu'on écrit, on le vit et quand on le lit, on s'en libère.

Maintenant, imaginez que votre père est lui aussi à vos côtés, disposé à vous écouter, et lisez-lui votre lettre à voix haute 10 fois consécutives, cette fois-ci en vous tenant debout. Étant donné que votre père représente dans l'inconscient collectif une figure d'autorité et de discipline, il est important de vous lever pour lui lire votre lettre d'une voix assurée. On dit en psychologie qu'on est couché pour rêver, assis pour apprendre et debout pour s'affirmer. Donnez-vous le droit de vous lever pour énoncer et faire connaître enfin à votre père tous les non-dits ressentis, avec cœur.

Ensuite, pour donner la touche finale à ce processus libérateur, je vous suggère d'écrire des lettres à tous ceux qui vous ont blessé d'une façon ou d'une autre dans votre vie, de même qu'une lettre de frustration à vous-même. Cette démarche peut vous prendre plusieurs jours : prenez le temps nécessaire. Une fois ce travail d'introspection complété, lisez le fruit de vos pensées avec tout votre cœur et à voix haute pour mieux ressentir les émotions malsaines, toujours dans le but de vous en libérer.

Puis, pour en finir vraiment avec toute cette peine et « couper avec votre passé », pour employer une expression courante, brûlez toutes vos lettres. Regardez-les se consumer par le feu jusqu'à ce qu'elles soient réduites en cendres. Ce rituel est significatif, car ce faisant, cela a le bienfait de vous couper de tout lien néfaste avec votre passé. Achevez votre œuvre par une respiration profonde et ayez une petite prière ou pensée pour vous afin de vous encourager à avancer dorénavant dans l'amour de soi.

Cet exercice peut vous être utile à libérer des émotions enfouies dans votre inconscient, depuis votre tendre enfance.

L'erreur est humaine et le pardon est divin.

EN GUISE DE CONCLUSION

La paix avec soi-même repose en partie sur votre honnêteté au moment de confronter vos souffrances.

Un questionnement minutieux est d'autant plus profitable s'il est volontaire, en plus d'être accueilli et accompli avec amour.

J'ose espérer que ce livre a été bénéfique, en vous aidant à vous détacher de certains fantômes du passé pour votre bien et celui de vos proches, de votre famille.

À ce stade-ci du livre, je vous invite à vous accorder un pardon des plus sincères afin de vous libérer de vos blessures et d'avancer droit devant, sur un plus bel itinéraire de vie. Brisez les chaînes qui paralysent vos élans d'amour et donnez un sens à votre vie, vos actions et vos réflexions. Aimez-vous, oui aimez-vous! Et n'oubliez jamais votre valeur ni vos besoins.

L'objectif de cette analyse inhérente à *Faire la paix avec soi: Un nouveau départ* était de mieux vous comprendre dans vos réactions émotives, vos peurs, vos regrets et vos dépendances.

J'espère que cette lecture vous aidera à mieux agir plutôt qu'à réagir lors des prochaines épreuves. La rédaction de ce livre a été pour moi une démarche très thérapeutique, car elle m'a permis de me libérer et de me comprendre davantage.

Merci de me lire et je souhaite vous croiser un jour à l'occasion d'une de mes conférences…

Toi qui souffres ou qui cherches à te comprendre, viens me voir, je suis là !

Chers lecteurs, n'oubliez jamais que c'est dans les nuits les plus sombres qu'on voit les plus belles étoiles.

www.MarcGervais.com

© Annie-Pier Gauthier

Pour plus d'information, visitez le site Internet :

www.MarcGervais.com

Pour joindre l'auteur directement par courriel :
Marc@MarcGervais.com

Pour les conférences publiques ainsi que
pour les conférences pour les entreprises
adaptées à vos besoins spécifiques.

Info : www.MarcGervais.com

MARQUIS

Québec, Canada

RECYCLÉ
Papier fait à partir
de matériaux recyclés
FSC® C103567

Imprimé sur du papier Enviro 100% postconsommation
traité sans chlore, accrédité ÉcoLogo et fait à partir de biogaz.